Achim Schwarze

Das Nonplusultra für den originellen Anrufbeantworter

Sprechen Sie nach dem Piep!

Eichborn.

Umschlag: Rüdiger Morgenweck unter Verwendung einer
Zeichnung von Oscar M. Barrientos
Gesamtproduktion: Fuldaer Verlagsanstalt GmbH, 36003 Fulda

ISBN 3-8218-2196-5

Verlagsverzeichnis schickt gern:
Eichborn Verlag, Kaiserstraße 66, D-60329 Frankfurt am Main

Inhalt

Vorwort und Danksagung

Als ich vor drei Jahren mein erstes Buch über den pfiffigen Umgang mit Anrufbeantwortern auf den Markt brachte, war ich nicht nur von seinem großem Erfolg begeistert, sondern auch über die große Zahl der direkten Reaktionen erstaunt. Seit das Buch in den Läden war, riefen immer mehr Leserinnen und Leser bei mir und dem Eichborn Verlag an, die noch mehr Sprüche hören wollten. Viele haben mir auch gute Telefonnummern empfohlen oder mir mitgeschnittene Ansagen auf mein Band gespielt.
Mit vielen meiner Anrufer unterhielt ich mich länger über ihre Erfahrungen, und viele Ideen, vor allem aber Sprüche, habe ich ihnen zu verdanken.
Mein herzlicher Dank gilt ihnen allen.

Die Feinde der Quatsche

Menschen ohne Anrufbeantworter

Es gibt sie noch, und sie fallen neben Waldameisen und Pottwalen unter das Artenschutzabkommen.
Obwohl wir für Spenden kein Geld und für Mitleid nicht die Zeit haben, wollen wir uns gönnerhaft mit den Abstinenzlern beschäftigen. Vielleicht sind wir so unerwartet verständnisvoll, weil wir uns – nicht ganz ohne das Gefühl der Peinlichkeit – an unsere eigene Frühzeit erinnern.
Damals hieß es auch bei uns: »Anrufbeantworter? Ich hasse diese unpersönlichen Dinger. Du könntest mir einen schenken...« – aber das tat dann niemand, weil man unsereinen nur bis zur Seidenkrawattengrenze von 89 Mark beschenkt. Uns blieb nur der heimliche Neid auf die arroganten Besitzer des praktischen Statussymbols um die 800 Mark.
Sobald eine einfache Quatsche weniger als 400 Mark kostete, sind alle die in die Geschäfte gerannt, die sich ganz sicher waren: »*Ich?* Niemals!« Sie sagten nun elegant: »Besonders sympathisch finde ich sie immer noch nicht, aber es bleibt einem nichts anderes übrig.«
Wir haben uns damals keinen Anrufbeantworter gekauft, denn: »Ich brauche so ein Ding nicht.«
Wir schafften uns auch keinen Anrufbeantworter an, als die ständige Erreichbarkeit nicht lange darauf für 198 Mark zu bekommen war. Langsam machten wir uns mit unserer Gesinnungsfestigkeit Feinde. Wir mochten schon gar nicht mehr an den Apparat gehen. Früher hörten wir nach dem Abheben ein herzliches »Hallo, toll, daß du da bist, wie geht's denn so?« Inzwischen aber wurden wir, schon bevor wie unseren Namen ganz ausgesprochen hatten, angepöbelt: »Nie bist du da. Kauf dir endlich mal einen Anrufbeantworter!« – vorgetragen in der typischen Du-bist-ein-lächerlicher-Neandertaler-Stimme, in der man sonst vor allem Fernsehverbot erteilt bekommt.
Sie hatten ja recht, und eigentlich wollten wir längst... – aber das ging jetzt nicht mehr. Wir lassen uns schließlich nicht rumkommandieren. Viel zu spät fiel uns ein, was wir hätten sagen sollen: »Ich hab so ein Ding schon vor Ewigkeiten gekauft, aber ich komme (vor lauter Streß) nicht dazu, es anzuschließen.«
Statt dessen hatten wir uns ins gesellschaftliche Abseits manövriert, waren einsam und verbittert geworden. Die alten sogenannten Freunde kannten uns nicht mehr. Wir erlebten das PDS-Syndrom.

Die Einsamkeit hatte nur einen Vorteil: Endlich konnten wir uns einen Anrufbeantworter kaufen. Mit dem fingen wir gesellschaftlich noch mal ganz von vorne an. Natürlich behaupteten wir in unserem neuen Leben, wir hätten schon immer einen Anrufbeantworter gehabt. Schon vor seiner Erfindung.

Panische Angst vor dem Piep

Zweifellos können Anrufbeantworter sehr gefährlich werden. Wer das nicht glauben will, soll ihn mal angeschlossen in die Badewanne werfen oder sich das trockene Gerät von einem guten Bekannten über den Schädel ziehen lassen.
Sicher, dagegen könnte man sich schützen, durch den Verzicht auf Körperhygiene, durch das Tragen eines Schutzhelmes oder durch tiefe Religiosität.
Furchterregender – und daher wesentlich ernster zu nehmen – erscheinen die weniger faßbaren Gefahren des Anrufbeantworters, und vor eben diesen Gefahren haben viele Menschen Angst, vor allem die Angst, den Verstand zu verlieren – eine unvernünftige Angst, denn auch der Verlierertyp verliert nichts, wo er nichts zu verlieren hat.

Jedenfalls naht der berüchtigte »Piep«, und die letzten Zehntelsekunden der Ansage werden zur Ewigkeit. Noch endloser erklingt der Piep, der verlorenste Klang von allen, der Klang, der Einsamkeit schafft, eine Einsamkeit, die das Gegenteil der Einsamkeit ist, die andere auf Gipfeln erleben.
Kaum ist das erbarmungslose Piep des Signals verhallt, geht es erst richig los. Sollte es wenigstens. Gut, man kann natürlich auch einfach auflegen. Hat man ja auch. Und nachdenken. Hat man ja auch versucht. Und dann noch mal anrufen. Mit einer guten Idee im Kopf und einer einfachen Formulierung, die man in der Zwischenzeit an die 30mal vor sich hingemurmelt hatte, bis sie wirklich saß.
Die Frequenz des »Piep« muß eine ganz besondere sein, die eine nämlich, die so ähnlich funktioniert wie der rote Knopf der Fernbedienung unserer Glotze. Plötzlich ist alles wie ausgeschaltet. Tot. Idee futsch. Formulierung vollkommen vergessen. Puls 230 zu 195 in der zweiten Halbzeit.
Im besten Fall reicht es für ein locker vorgetragenes »Äh . . .«, und das war's dann aber auch.
Der Piep macht sie alle gleich, den Edelmann und den Brandstifter, plötzlich absolute Leere im Gehirn, die aus Sauerstoffmangel manchmal gähnt. Hoffentlich erkennt niemand am »Äh«, daß ich es bin, der da gerade versagt hat, denkt man sich hoffnungsvoll und weiß doch genau: Demnächst wird man uns mit breitem Grinsen fragen, ob wir schon mal an Therapie gedacht haben. »Geh mal zur Logopädin und lerne, wenigstens ein bißchen flüssiger zu stottern.« Und dann lachen uns alle aus.
Natürlich kann man schon vorher auflegen und die Sache einfach vergessen. Doch kaum liegt der Hörer auf der Gabel, quälen einen innere Stimmen:
»Warum hast du das getan?«
Du warst schwach, du hast versagt. Du hättest es vorher wissen müssen.
»Warum hast du überhaupt angerufen?«
Naja, irgendeinen Grund gab es bestimmt. Aber wie immer bei unseren Telefonaten, fällt uns erst nach fünf Minuten Gequassel ein, warum wir eigentlich angerufen haben.
»Und warum mußtest Du ausgerechnet jetzt zum Telefon greifen?«
Man neigt nun mal zu schicksalsmäßigen Fehlentscheidungen. Daher auch die Angst, daß wir beim nächsten Versuch wieder nur die Maschine erreichen. Die Erfahrung lehrt uns, daß wir alles falsch machen, was man falsch machen kann. Anstatt zu telefonieren doch lieber einen persönlichen Besuch abstatten? Lieber nicht, weil zu gefährlich bei 400 km Ferngespräch und überfrierender Nässe.
Da kommt endlich die rettende Idee: Wir könnten ja jemanden ohne Sprechhemmungen den Anruf für uns erledigen lassen! Wir könnten mal schnell Andreas anrufen und ihn bitten . . . Oder lieber nicht. Bestimmt wäre er nicht zu Hause, nur sein Anrufbeantworter . . .

Wenn Anrufbeantworter Witze machen

Die angeblich unpersönlichen Anrufbeantworter besitzen ganz ohne Zweifel Intelligenz und sogar Humor, wenn auch nur in der unbeliebten, schadenfrohen Version. Der wissenschaftliche Nachweis ist nicht einfach, aber wenn Sie genau hinhören, können Sie im allgemeinen Rauschen der Maschine innere Stimmen heraushören, die sich über Sie und Ihre Sprechhemmung lustig machen. Lassen Sie sich nicht verunsichern. Denken Sie einfach: Bestimmt lacht der Anrufbeantworter noch immer über den Mist, den der letzte Anrufer aufs Band gestammelt hatte.

»BUGS BUNNY«

Wie man sicherstellt, unter keinen Umständen jemals mit einem Anrufbeantworter verbunden zu sein

Praktisch alle Anrufbeantworter schalten sich frühestens beim dritten Klingeln ein, weil sie so eingestellt worden sind, daß ihr Besitzer die gebührenfreie Fernvorabfrage nutzen kann.
Wir lassen es aber nur zweimal klingeln und legen dann auf. Ist der gewünschte Fernsprechteilnehmer zu Hause und in Telefonierlaune, wird er gemächlich zum Telefon laufen, abnehmen und feststellen, daß niemand dran ist. »Daher hat es die letzten zwei Drittel des Weges nicht mehr geklingelt«, wird er sich sagen und auch: »Wahrscheinlich hat da so ein Idiot gemerkt, daß er falsch verbunden ist«, und dann wird er sich auf den Rückweg in den gemütlichen Ohrensessel machen. Kurz darauf klingelt es erneut. Unser Opfer rappelt sich erneut auf. Wieder Fehlanzeige. Es darf geflucht werden.
Auch die lernschwachen Mitglieder unseres Bekanntenkreises werden nach spätestens sechs derartigen Übungen denken, nun genug für den Kreislauf

getan zu haben und dann listig auf die Idee verfallen, neben dem Telefon stehenzubleiben und nach dem ersten Klingeln den Hörer von der Gabel zu reißen.
Sollte unser Adressat zwar zu Hause sein, aber den Vorsatz haben, nicht ans Telefon zu gehen, ohne seine Anrufer vorher über den Anrufbeantworter auf Gesprächswürdigkeit überprüft zu haben, sieht der Fall nicht viel anders aus, denn irgendwann wird die Neugier ihn doch Hand an den Hörer legen und fragen lassen: »Welcher gehirnamputierte Vollidiot will mich hier eigentlich zum Todfeind haben?«

Therapie gegen Phobie: schenken

Haben Sie auch so einen Kandidaten, der Sie immer wieder mit seiner Ablehnung der Maschine nervt? Für relativ wenig Geld kann man sicher gehen, künftig von den Beschenkten nicht mehr den Unsinn vom unpersönlichen Anrufbeantworter anhören zu müssen. Schenken Sie diesem Patienten eine solche Wunderkiste, so paßt sich sein Bewußtsein dem geänderten Sein schnell an, auch wenn er in Marxismus-Leninismus sonst versagt hat. Trotz Schulung.

Ein Präsent der SPD an Helmut Kohl

Seinen Anrufbeantworter hat der Kanzler an das Kindertelefon seiner Söhne angeschlossen, die zwar vom Personalausweis her gesehen schon als erwachsen gelten, also ihren Vater wählen dürfen, aber ansonsten ganz der Vater sind – also Telefone bevorzugen, die einerseits gebührenfrei und andererseits ganz besonders auf die Bedürfnisse des Selbstgespräches ausgelegt sind.
Mehrere ranghohe SPD-Mitglieder legten vor zwei Jahren zusammen und schenkten dem Vereinigungskanzler einen Anrufbeantworter. Tagelang hatten sich sozialdemokratische Experten in einschlägigen Geschäften nach einem Gerät umgesehen, das besonders einfach zu bedienen sein sollte.
Als man den Kanzler drei Tage nach Übergabe des Geschenkes anrief, hatte man seinen Anrufbeantworter dran, und der funktionierte tadellos.
Die Enttäuschung in der SPD war groß, denn selbstverständlich hatte man gehofft, der Kanzler würde an der Programmierung des Anrufbeantworters scheitern und Stoff für mehrere Treppenwitze der Geschichte liefern. »Wir hätten ihm ein kompliziertes Gerät schenken sollen!«, sagten nun die, die es schon immer besser gewußt hatten. »Bestimmt hätte er voll vergeigt.«
Ja und? Was hätte das gebracht? Wenn der Kanzler an einer Aufgabe scheitert, die nicht einmal Engholm in den Griff bekommen hätte, kann man ihn schlecht verspotten.

Steckbriefe von Menschen, die keinen Anrufbeantworter haben

Wichtigtuer

Er behauptet, er habe sich schon immer so ein Ding kaufen wollen, sei aber bisher nicht dazu gekommen, weil er immer noch viel, viel wichtigere Angelegenheiten zu erledigen hatte. Hält man ihm nun vor, daß er weniger Streß hätte, wenn ein Anrufbeantworter sich zu Hause um die Anrufe kümmern und er sich per Fernabfrage auf dem laufenden halten könnte, sagt er glatt: »Ich bin schon jetzt bis hier oben zu mit Anfragen, Einladungen, Bitten, alles mögliche. Mit einem Anrufbeantworter würde mir das über den Kopf wachsen. Ich könnte mich nicht um alle kümmern und müßte mir Feinde machen.«
Der Wichtigtuer ist dankbar dafür, daß man ihn meist nicht erreichen kann. Er ist die einzige Abart des Menschen, die ihr Telefon ausschließlich zum Heraustelefonieren benutzt. Ansonsten liegt der Hörer grundsätzlich neben dem Apparat. Wenn der Wichtigtuer in der Öffentlichkeit erscheint, wird er ständig – vor allen Leuten! – auf seine schlechte Erreichbarkeit angesprochen und hat reichlich Gelegenheit, sich wortgewaltig zu entschuldigen: »Ich bin den ganzen Tag am Telefon, und trotzdem gleichzeitig unterwegs.«
Das klingt ein bißchen paradox, aber vielleicht hat der Wichtigtuer ja ein tragbares Telefon.
Über seine Einstellung zu Anrufbeantwortern sagt dieser Typ: »Ich halte nichts von automatischen Anrufbeantwortern. Heiraten finde ich persönlicher.« Tja, diesen ehefrauenverachtenden Kalauer hat er schon an die 80mal angewendet, und in jedem Fall konnte er sich über grübelnde Gesichter freuen. 29mal mußte er ihn sogar erklären.

Der Purist

Entfremdung, wo man auch hinsieht! Trotz Scheuklappen nicht zu übersehen. Aber nicht mit mir!, sagte sich der Purist und war schon immer gegen alles Künstliche. Seit Jahren ist er ein Spezialist für das Unmenschliche und das Allzuunmenschliche im Mitunmenschen.
Folgerichtig lehnt der Kommunikationspurist den Anrufbeantworter ab. Schon mit dem Telefon hat er so seine Schwierigkeiten: Zu oberflächlich wird hier miteinander umgegangen, und der Staat kassiert in Form seiner Schwindelfirma Telecom mit, wenn Menschen einfach nur miteinander reden wollen. Die ganz große Lebenskrise hat den Puristen erwischt, als man ihm neulich

seine Leidenschaft für den handschriftlichen Brief zerredete. Selbst, wenn der Purist Bluter ist und das Herzblut im Füllfederhalter wochenlang nicht gerinnt, irgendwie ist der Brief doch sehr unspontan, vor allem, weil hier erst überlegt und dann gesülzt wird.
Der Purist hat keinen Anrufbeantworter, aber er ist der einzige Mensch, der auch unter objektiven, aufgeklärten und »normalen« Gesichtspunkten keinen Anrufbeantworter braucht. Niemand ruft ihn an.
Niemand braucht ihn, und das nicht erst, seit er allen erklärt hat, daß sie ihn brauchen – vor allem in Form von guten Ratschlägen.

Sadisten

Die Mitglieder dieser eher unbeliebten Bevölkerungsgruppe verfügen über beneidenswerte kreative Fähigkeiten. Ständig denken sie sich neue Gemeinheiten aus, mit denen sie ihre Fans, die Masochisten, und auch ganz normale Mitbürger quälen können.
Klingelt das Telefon, hebt der Sadist nicht ab. Er sitzt gemütlich in seinem Sadistensessel und wartet auf den zweiten Anruf, der ein paar Minuten nach dem ersten erfolgt. Nach dem zehnten Klingeln nimmt er ab – und sagt nichts.

»Hallo? Wer ist da?«,

fragt die Anruferin. Es folgt eine überaus quälende Kunstpause, die aber keine Striemen hinterläßt.

»Wen wollen Sie denn sprechen?«,

fragt der Sadist mit unerträglich langsamer Stimme zurück. Dabei hat er schon nach dem ersten Wort die Stimme seiner Verlobten erkannt.

»Ich bin's doch, die Uschi.«

»Das höre ich selbst. Aber du hast meine Frage nicht beantwortet«,

sagt er mit strenger Stimme, und wir müssen zugeben: Wo er recht hat, hat er recht. Auch wenn es in diesem Fall ein wenig kleinlich wirkt.

»Na, dich wollte ich sprechen.«

»Das hast du ja jetzt.«

»Aber ich wollte.«

»Hast du vor einer Minute schon einmal angerufen?«

»Äh – ja. Aber du bist nicht drangegangen. Da dachte ich, ich hätte mich verwählt. Also habe ich noch mal angerufen.«

Nun verbreitet sich der Sadist über die Dummheit seiner Verlobten, die sich offenbar nicht einmal zutraut, eine Telefonnummer richtig zu wählen. Außerdem:

»Du bildest dir wohl ein, daß ich gleich alles stehen und liegen lasse, wenn das Telefon klingelt!?«

So geht es nicht! Der Sadist erwartet von seinen Anrufern eine angemessene Geduld und Ausdauer.

»Ich habe es mindestens 15mal klingeln lassen. Was hast du denn gemacht, Schatz?«

»Willst du mich kontrollieren?«

So eine unverschämte Anmaßung! Dafür muß er sich eine Strafe ausdenken. Er bestellt seine Verlobte zu sich nach Haus, sofort!, obwohl (eigentlich sogar weil) sie keine Zeit hat. Er verlangt von ihr, daß sie neben seinem Telefon sitzt und zählt, wieviele Leute anrufen. Er geht spazieren. Selbstverständlich darf sie auf keinen Fall an den Apparat gehen. Und die Telefonate, die bei ihr zu Hause während dieser Zeit eingehen, versäumt sie auch alle.

Die Barbie-Puppe

Klaus Barbie hat sie erfunden, aber man merkt es ihr glücklicherweise nicht an. Sie sieht umwerfend aus und denkt blond. Den ganzen Tag über klingelt ihr Telefon. Sie weiß gar nicht, warum. Die Männer behaupten, es läge daran, daß Barbie ihnen ihre Telefonnummer gegeben habe. Aber was kann sie dafür, wenn man sie darum gebeten hat?

Egal, wen die Schuld nun trifft: Barbie hat keinen Anrufbeantworter, weil sie niemanden zurückrufen will. Außerdem glaubt sie an Astrologie und Bestimmung und ist ständig mit Männern unterwegs, die das schicksalhafte Glück hatten, bei Barbie anzurufen, während Barbie ausnahmsweise gerade mal nicht mit Männern unterwegs war, die das Glück hatten, neulich bei Barbie anzurufen, als sie ausnahmsweise mal nicht mit Männern aus war, die das Glück hatten . . .

Wenn einer ihrer glühenden Verehrer ihr einen Anrufbeantworter schenkt, schließt sie ihn nicht an oder läßt sich noch eine zweite Telefonnummer von ihm schenken. (Eigentlich wäre ein Funktelefon besser, aber das ist so teuer, daß sie irgendwann mal zum Dank mit ihm schlafen müßte, während Anrufbeantworter-Geschenke noch unter platonische Freundschaft mit Besserverdienern fallen.) Ihre zweite Nummer kennt dann nur er. Sie selbst hat sie vergessen, und kann auch nicht durch Schriftstücke der Telecom zufällig an sie erinnert werden – die Rechnungen gehen automatisch an ihren Förderer.

Wenn Barbie den Moralischen bekommt, weil sie im Badezimmerspiegel die Spuren der letzten Nacht entdeckt, und sich fragt, wie begehrenswert ein 23jähriges Mannequin wie sie eigentlich im hohen Alter von 24 noch sein wird, stellt sie beide Telefone laut und lauscht der zweistimmigen Klingelsymphonie: Auf der offiziellen Leitung versuchen die Bewerber, Barbie für das gemeinsame Erhaltung-der-Art-Training zu gewinnen. Auf der zweiten Leitung probiert der Mann, der ihr den Anrufbeantworter geschenkt und sogar angeschlossen hat, bei Barbie einen Dankbarkeitstermin einschließlich vermehrungstypischer Leibesübungen zu ertelefonieren. Er ärgert sich maßlos, daß sie offenbar vergessen hat, das Ding anzuschalten. Wie immer! Jede Frau ist halt so hilflos wie ihre Männer ihr glauben.

Das Pumpgenie

Besondere Kenntnisse besitzt diese ausgesprochen anrufbeantworterfeindliche Spezies in zwei der schönsten Schönen Künste: 1. von anderen Leuten kurzfristige, nie rückzahlbare Überbrückungsdarlehen eingeräumt zu bekommen. 2. Unerreichbar zu sein.
Das mit der Rückzahlung war ein bißchen verwickelt: Man hätte die Asche ja längst zurückgezahlt, hatte es nur vergessen. Am Geld lag es nicht. »Wenn du mich vorgestern gefragt hättest, Paul, ich hätte dir alles gegeben und dich großzügig zum Essen eingeladen.«
Tja, gestern! Inzwischen aber ist das Geld bereits wieder gewinnbringend investiert.
»Ich melde mich bei dir, sobald ich es samt Zinsen zurückbekommen habe.«

Der Ostler

Im Plaste-Ambiente seiner Zweiraumwohnung würde der Anrufbeantworter doch etwas deplaziert wirken – bis die Telecom ihm endlich ein Telefon dazu spendiert. Unabhängig davon, welche Qualität von Telefonaten er damit führen wird.
Etwas anders sieht die Sache aus, wenn die Dreiertelefondose und das Siemenskomforttelefon bereits vorhanden sind. Dann darf der dekorative, gern auch funktionsuntüchtige, Anrufbeantworter unaufdringlich dazugestellt werden – und immer glimmt das Lämpchen.
»Kann ich mal eben telefonieren?«, fragt aufdringlich ein Gast.
»Nee, momentan nicht. Die Telecom bastelt mal wieder irgendwas an der Leitung.«
»Du hast ja echt Pech!«, entfährt es dem Gast voll Anteilnahme.
Stimmt. Bei jedem Besuch, ausgerechnet, ist die Leitung im Eimer. Einmal war's der Bautrupp, der bei Ausschachtungsarbeiten einen Kabelbaum zerstört hat. Dann eine Umstellung von irgendwas auf irgendwas noch ganz anderes. Und diesmal?
Ständig muß man sich neue Begründungen ausdenken, warum das Telefon nie benutzbar ist. Hoffentlich fällt niemandem auf, daß man noch nie vor Zeugen angerufen wurde oder telefoniert hat. Egal: Die Dose sieht sehr dekorativ aus, genauso wie das Telefon und der Anrufbeantworter. Auch die meisten Kamine sind nur zum Anschauen und -geben da.

Einsame

Sie wollen nach Hause kommen und sich selbst bemitleiden: »Verdammt! Bestimmt habe ich mindestens vier unheimlich persönliche Anrufe verpaßt.« Die Angst vor dem Anrufbeantworter ist groß. Könnte sein, daß den ganzen Nachmittag keiner angerufen hat. Genau wie den folgenden Abend. Und die letzte Woche. Aber neulich hat sich mal einer verwählt und war unheimlich nett...

EhebrecherInnen

Strikt verweigern sie ihr Einverständnis zur Anschaffung eines Anrufbeantworter, und da eine solche Anschaffung nur mit Zweidrittelmehrheit beschlossen werden kann, muß der Intimpartner schon sehr übergewichtig sein, um sich doch noch durchzusetzen.
EhebrecherInnen hassen den Anrufbeantworter in der eigenen Wohnung, weil sie wissen: Irgendwann wird meine heimliche Liebschaft es mal nicht aushalten können und eine verschlüsselte Nachricht hinterlassen, die jeder Idiot mit jedem Dietrich knacken kann.

Die Fans unter sich

Anrufbeantworter-Verbot für Nicht-Änderer

Längst überfällig wären nach Meinung alter HasInnen ein paar Hundertschaften ABM-Kräfte, die rund um die Uhr Deutschlands Fernsprechnummern durchrufen und eine Liste aller Anrufbeantworter-Besitzer anlegen. Die werden dann im Laufe der nächsten Zeit regelmäßig angerufen, um zu überprüfen, wann sie das letzte Mal die Ansage gewechselt haben.
Recht so! So sind meine Steuergelder sinnvoller angelegt als für den Aufschwung Ost. Darf es straflos bleiben, wenn einem länger als vier Wochen lang ein und derselbe langweilige Spruch zugemutet wird? Drastische Fernsprechverbote könnten Abhilfe schaffen.

Anrufbeantworter-Verbot für Nicht-Abhörer

Eigentum verpflichtet, aber nicht alle Eigentümer nehmen ihre Verpflichtungen so ernst wie viele engagierte Hausbesitzer die innere Verpflichtung zur regelmäßigen Mieterhöhung. Dazu zwei illustrierende Beispiele aus der schillernden Welt der Anrufbeantworter:
Neulich habe ich einen anspruchsvollen deutschen Schriftsteller kennengelernt, weil er mich ansprach, als ich im Café mit meinem faltbaren Notebook-Computer an diesem Buch arbeitete. Wir haben uns zwei Stunden lang angeregt über seine unveröffentlichten Buchprojekte und unsere verflossenen Freundinnen unterhalten. Als ich gehen mußte, sagte ich: »Gib mir eben deine Nummer, dann kann man sich mal treffen, auf einen Kaffee oder so.«
Er sagte, er bekomme in letzter Zeit häufiger anonyme Anrufe und sei jetzt sehr sparsam mit der Verteilung seiner Nummer.
»Ich verspreche dir, ich werde keine obszönen Anrufe tätigen oder dir was aufs Band stöhnen«, sagte ich und gab ihm als vertrauensbildende Maßnahme meine Nummer. »Melde dich mal, wenn du Zeit hast. Und quatsch mir das Band mit Sauereien voll, wenn du willst. *Ich* freue mich über sowas.«
Nein, nein, so sei das nicht gemeint gewesen, sagte er und drängte mir seine Telefonnummer nun schon beinahe auf.
Ich rief ein paar Tage später bei ihm an. Der Anrufbeantworter war offenbar ein ausländisches Fabrikat, denn ich hörte eine Nachricht in Englisch und Französisch. Vielleicht lag es auch an dem Bandmaterial, das sich zur Aufzeichnung von deutschen Sätzen nicht eignete[1].

Der Autor hinterließ auf meinem Anrufbeantworter, daß man sich ja wohl irgendwann mal telefonisch erreichen werde.
Dafür werde ich sorgen, dachte ich, und versuchte es schon am nächsten Tag. Endloses Klingeln, keine Reaktion. Flüchtigkeitsfehler beim Wählen? Wahlwiederholung drücken, Nummer auf dem Display mit der im Notizbuch vergleichen. Stimmte alles. Eindeutige Diagnose durch den Experten und Abonnenten der Fachzeitschrift »Kriminalistik«: Es war diesmal kein Anrufbeantworter dran.
Natürlich ließ ich nicht locker. Ein paar Tage später hatte ich Glück. Die Kiste des Literaten war angeschlossen, und so konnte ich eine Nachricht auf seinem Band hinterlassen:

> »Du hast mehrere Tage lang vergessen, deinen Beantworter einzuschalten«,

sagte ich ihm.
Seine nächste Nachricht auf meinem Anrufbeantworter lautete:

> »Ich schalte meinen Anrufbeantworter manchmal gar nicht ein, wenn ich sowieso keine Lust habe, Leute zu sehen oder auch nur zurückzurufen.«

Ich war, das muß ich zugeben, ein bißchen platt.
Diese Nachricht brachte mich auf die gute Idee, schon am nächsten Tag meinen persönlichen Briefkasten zuzukleben, zumal ich Post vom Finanzamt erwartete.

Und nun zu meinem zweiten Beispiel.
Seinen Anrufbeantworter hört dieser Bursche höchstens einmal in der Woche ab. Die Schuld daran liegt an den Leuten, die ihn anrufen: »Die Idioten würden mir nur die Laune verderben.« Außerdem könnte er sie nicht zurückrufen, weil mein Freund immer erst morgens gegen drei von der Schwarzarbeit nach Hause kommt.
Seit Polizei und Gerichtsvollzieher ständig auf seinen Anrufbeantworter reden, stellt er das Ding gar nicht mehr an. Man kann ihn nur über den Anrufbeantworter der Tierarztpraxis der Vermieter seiner Freundin erreichen, indem man der Freundin ausrichten läßt, was sie ihm ausrichten soll.

---

[1] Gegen diese Theorie sprach allerdings, daß mein Kollege mich zurückrief, obwohl ich eine deutschsprachige Nachricht hinterlassen hatte. Auch er sprach übrigens Deutsch.

Das Märchen vom »persönlichen Gespräch«

Abnehmen mit Schockeffekt

Immer häufiger rufen mich Leute an und bekommen kein Wort heraus, wenn ich persönlich an den Apparat komme. Wäre ich Richard Gere, würde ich das auf meine Prominenz zurückführen. Oder auf Sprachschwierigkeiten. Aber leider bin ich nicht Richard Gere.

»Oh, damit hatte ich jetzt nicht gerechnet«,

sagte neulich ein Anrufer, als ich persönlich ans Telefon ging.

»Welche Nummer haben Sie denn gewählt?«, fragte ich ihn.

Er sagte brav meine Privatnummer auf.

»Fehlerfrei«, sagte ich anerkennend.

»Und das bist jetzt wirklich du?«

Natürlich störte es mich, daß er mich duzte. Aber ich bin nicht immer tierfeindlich.

»Ja persönlich«,

sagte ich und fragte dann:

»Wissen Sie, wie spät es ist?«

»Ja, halb drei Uhr«, sagte er, wie man es einem Menschen ohne Uhr sagt.

Ich überprüfte die Angabe. Es war tatsächlich halb drei Uhr – nachts.

»Wohnen Sie irgendwo in Australien oder USA?«

»Nein, wieso?«

»Weil ich dachte, vielleicht sind Sie mit den Zeitzonen durcheinandergekommen.«

»Nein.«

»Finden Sie nicht, daß es eine etwas ungewöhnliche Zeit ist, um mir zu sagen, Sie hätten gerade ein Buch von mir gelesen und für gut befunden?«

»Ich dachte, du hättest einen Anrufbeantworter dran.«

Anstatt sich bei mir für die nächtliche Störung zu entschuldigen, verlangte der Vollidiot beinahe, daß ich sage:

»Tut mir echt leid, aber leider bin ich selbst ans Telefon gegangen.«

Wie schön sind persönliche Gespräche eigentlich?

Immer wieder wird gegen Anrufbeantworter vorgebracht, man habe keine Lust, mit Maschinen zu reden, sondern ziehe das persönliche Gespräch vor. Wollen wir doch mal ehrlich sein: Eigentlich kann man sich die meisten »persönlichen« Gespräche doch getrost schenken!
Oder ist es etwa aufregend, stundenlange Ergüsse zum Thema Weltschmerz zu hören? Dreimal in ähnlichen Worten das gleiche, obwohl man es nach der Hälfte des ersten Males schon verstanden hatte, weil es einen so sehr an die langweiligen Vorträge desselben Gesprächspartners von gestern erinnerte?
Die Anrufer nennen es »persönliche Gespräche«, dabei ist es doch eher die für 23 Pfennig pro acht Minuten billigste Form der Psychotherapie. Ich kann mich nicht dagegen wehren, ausgenutzt zu werden, weil alle wissen, daß ich zu Hause am Schreibtisch sitze, mich zu konzentrieren versuche – und über jede Ablenkung von meiner langweiligen Schreiberei dankbar bin.
Anders gesagt: Lieber Gabrieles seelischer Mülleimer sein als konzentrierter Kulturschaffender.

Der Kampf Gast gegen Maschine

Immerhin habe ich gelegentlich den einen oder anderen Gast bei mir zu Hause, den – häufiger die – ich so interessant finde, daß ich den Anrufbeantworter einschalte, um mich den gemeinsamen Themen ungestört widmen zu können.
Wenn ich meinen Gast schon länger kenne, stelle ich zusätzlich die Klingel des Telefons aus und lasse den Anrufbeantworter in einer Kiste verschwinden, damit ich durch das Klackern und Spulen der Mechanik nicht abgelenkt werde.
Wenn jemand das erste Mal bei mir zu Gast ist, passiert folgendes: Das Telefon klingelt, und zwar gar nicht mal so selten – weil ich viele Menschen kenne, die gern mit mir telefonieren.
»Das Telefon klingelt!«, sagt mein Gast, nachdem er erstaunt bemerkt hat, daß ich keine Miene verzogen habe.
»Ich weiß«, antworte ich und tue so, als könne es nichts in der Welt geben, das annähernd so interessant ist wie mein Gast.
»Meinetwegen geh ruhig ran«, sagt man mir dann.
»Danke«, sage ich und bleibe sitzen.
»Und wenn du was versäumst?«
Nein, ich versäume nichts. Vor allem besitze ich Lebensart. Und zweitens einen Anrufbeantworter.
Eigentlich glaube ich nicht an Schicksal, Bestimmung, Lotto. Andererseits fällt auf: Verbringe ich einen Abend mit einer attraktiven Gästin, finde ich

nach ihrer Verabschiedung auf meinem Anrufbeantworter regelmäßig eine Reihe von Nachrichten vor, von denen ich schon lange geträumt habe: Mehrere von mir glühend verehrte Frauen sind, während ich unabkömmlich mit einer ihrer Kolleginnen zu tun hatte, spontan auf die Idee gekommen, spontan etwas Unvernünftiges mit mir zu unternehmen.
Noch eine weitere Gemeinsamkeit, die übrigens den Gedanken nahelegt, daß Schicksal immer auch Verschwörung ist: Spätestens sieben Stunden nach der Nachricht fliegen diese Anruferinnen wieder zurück nach Angola zu ihrem Entwicklungshilfeprojekt oder tun sonst etwas, um zu verhindern, daß wir uns in absehbarer Zeit treffen können.

Was wollte ich überhaupt?

»Hi Dieter! Ich wollte mich nur mal melden. Bist du wirklich nicht zu Hause?«

Jetzt quasselte ich eine Minute mit seinem Anrufbeantworter, für den Fall, daß er – was er gern tut, und er vergißt immer, das Telefon mitzunehmen – gerade auf dem Klo sitzt.

»Nein? Pech für mich. Bestimmt führst du gerade etwas, um das ich dich beneide: ein Privatleben. Und erlebst die Geschichten, mit denen du mich bei unserem nächsten Telefonat neidisch machen kannst.«

Dieter ruft immer zurück, wenn ich gerade ein Gespräch auf der anderen Leitung habe oder dabei bin, das Haus zu verlassen.

»Tut mir leid, Dieter, hab keine Zeit. Ich ruf dich an«,

verspreche ich dann, und er sagt:

»Okay. Wir telefonieren.«

Am nächsten Tag spreche ich wieder auf sein Band und schlage vor, wann er es bei mir versuchen könnte. Wenn Dieter zurückruft, habe ich natürlich wieder keine Zeit. Dieter sagt:

»Ich wollte nur Bescheid sagen, daß ich wieder im Lande bin«,

und verspricht, daß nichts Außergewöhnliches passiert ist, wir uns aber unbedingt mal wieder telefonisch sehen sollten. Dann verabreden wir einen Termin zum Telefonieren.

Sonja und Dieter

Nun ist das persönliche Telefonat in ein etwas schiefes Licht geraten. Ich will es hier mit einer kleinen lehrreichen Geschichte verteidigen:
Als ich einmal nach München fuhr, um ein gelangweiltes und unglücklich gebundenes Fotomodell kennenzulernen, mit dem ich schon mindestens 15

Stunden telefoniert und etliche Faxe gewechselt hatte, hinterließ ich auf meinem Berliner Anrufbeantworter die Telefonnummer meines Münchner Gastgebers Dieter. Ich hörte meinen Beantworter zwar ab, aber Sonja, eine Freundin aus Bremen, probierte es direkt in München. Ich war gerade mit dem bezauberndsten Rendezvous des Jahres beschäftigt, und so notierte Dieter, als mein persönlicher Anrufbeantworter, Sonjas Nummer. Sonja zweifelte wohl an, daß ihre Nummer mir wichtig genug war, um in meinem persönlichen Nummernregister zu stehen. Dabei kannte ich sie sogar auswendig.
Dieter jedenfalls hat sich sofort in Sonjas Stimme verliebt. Als ich am nächsten Tag verschollen blieb, weil mich meine neue Liebschaft in ihre Pension eingemietet hatte, hielt er es nicht länger aus und rief Sonja an. Es war ihm peinlich. »Aber ich finde deine Stimme so toll.« Und, so bat er Sonja, ich sollte nie etwas davon erfahren. Er hatte ja schließlich auch nicht erfahren, was zwischen mir und Sonja war oder wenigstens gewesen war.
Und so fingen die beiden denn an, die Nächte hinter meinem Rücken durchzutelefonieren oder sich gegenseitig die Bänder vollzusprechen. Wenn Sonja abends oder nachts von ihren Job nach Hause kam, konnte sie sicher sein, daß sie mindestens zehn Minuten Dieters Säuselstimme hören würde. Das schmeichelte ihrer Eitelkeit.
Natürlich dauerte es nicht lange, bis die beiden unsterblich ineinander verliebt waren. Diese Stimmen! Er Sänger, sie Schauspielerin. Zwischen ihnen 580 Bahnkilometer.
Dann trafen sie sich. Auf dem Bahnsteig hatte Sonja ein kleines Picknick mit Sekt vorbereitet. Dieter stieg völlig aufgeregt aus dem Zug und war zu dick. Außerdem zerbrach er vor Aufregung ein besonders kostbares Sektglas aus Sonjas Sammlung.
Er war sofort verliebt, sie sofort nicht. Und so blieb es.
Dieter fuhr wieder ab. Und rief weiter an. Um nicht stundenlang Vorträge über Bestimmung, Schicksal und Wesensverwandtschaft hören zu müssen, stellte Sonja ihren Anrufbeantworter wieder häufiger an. Vor allem nachts, denn Dieters Telefonate nach drei Uhr waren ihr nur so lange angenehme Traumunterbrecher, solange die beiden nur telefoniert hatten.

Rundrufe – Einsamkeit – Tankstellen

Abgesehen davon, daß niemand von uns einsam ist: Wenn man sich mal einsam fühlt, weil man seit zwei Wochen mit niemandem mehr gesprochen hat, stellt sich die Frage, wozu man greifen soll, zur Flasche oder zum Telefon. Natürlich nimmt man zuerst das Telefon, weil man keine Lust hat, zur Tankstelle zu fahren und sich eine Flasche zu kaufen.
Nun werden alle Nummern angerufen, die man auswendig kennt – die sogenannten Freunde also. Dann nimmt man sich die Familie vor. Auch bei dieser

Personengruppe der zweiten Wahl ertönt jedesmal das Freizeichen, und keiner geht ran. Wenn man sie *einmal* braucht!

Der Weltschmerz nimmt merklich zu, schließlich liegt auf der Hand, wieso wir niemanden erreichen können: Alle sind unterwegs, weil sie noch echte soziale Kontakte haben oder einen Kinofilm noch nicht kennen, den wir uns aus Einsamkeit schon dreimal angesehen haben.

Jetzt wird das Büchlein mit den Telefonnummern herausgeholt und alphabetisch durchgearbeitet. Nummern, die man seit Jahren nicht mehr angerufen hat, erscheinen plötzlich auf dem Display des Komforttelefons. Leute, für die wir eigentlich viel zu gut sind, Langweiler und Versager wie Anke, Andreas, Alfon und Anica werden zur letzten Rettung. Sollen sie doch froh sein, daß sie wenigstens einmal im Leben eine Aufgabe haben.

> »Hallo, erinnerst du dich noch an mich, ich bin der Bernd. Gestern nacht habe ich von dir geträumt, ist das nicht verrückt? Und da dachte ich, was du wohl inzwischen so machst.«

Das würden wir allen sagen, aber – niemand geht ran. Bleibt nur das Band.

Beim Buchstaben F geben wir auf, stecken Geld ein, nehmen die Autoschlüssel und fahren zur Tankstelle, wo die anderen erfolglosen Einsamkeitstelefonierer die hochprozentigsten Vorräte bereits weggekauft haben. Immerhin kann man sich mit dem Tankwart über die Frage unterhalten, ob er einen Hunderter wechseln kann.

Bevor jeder einen Anrufbeantworter besaß, begann an dieser Stelle regelmäßig ein alkoholischer Exzeß in den eigenen Räumen, gefolgt von Brechen und Tiefschlaf inmitten des Ergebnisses.

Kaum kommen wir von der Tankstelle zurück, klingelt das Telefon, und stundenlang wird gelabert.

Am nächsten Tag finden wir, wenn wir abends von der Arbeit zurückkommen, auf unserem Anrufbeantworter zehn Nachrichten von erbosten Bekannten:

> »Ich sollte dich doch gestern zurückrufen. Zwei Stunden lang habe ich es probiert, aber du hast offenbar bis zwei Uhr nachts Dauertelefonate geführt.«

Gegen den nun unumgänglichen Abbruch jeder privaten Beziehung hilft nur eine zweite Telefonnummer. Ruft ein Freund vergeblich die offizielle Nummer an, kann er gleich hinterher die privatere wählen, die natürlich nicht im Telefonbuch stehen darf.

Das laufende Gespräch auf Leitung eins unterbrechen wir nach kurzer höflicher Entschuldigung, und die nun einstweilen wartende Person ist von unserer Wichtigkeit endlich überzeugt. Kurzer Plausch mit dem Anrufer auf Leitung zwei. Wir spielen dort kurz unseren eigenen persönlichen Anrufbeantworter und versprechen zurückzurufen. Tschühüß! Zurück zu Leitung eins.

> »Bist du noch da?« – Selbstverständlich.
> »Wo waren wir stehengeblieben?«
> Bei unserer ungewöhnlichen Wichtigkeit.

Bei was man nicht durchs Telefon gestört werden will

Sex

Die meisten Menschen in unserem Land lehnen den genau getimten Anruf als Mittel der natürlichen Geburtenkontrolle ab. Aber es gibt auch Leute, die sich gern unterbrechen lassen; weil sie keine Notwendigkeit sehen, dem langweiligen Partner beizuwohnen, wenn es auch nur den Hauch einer Ausrede gibt.

Essen

Bis auf die Rippen abgemagerte Mitbürgerinnen entsprechen dem Geschmack des Autors, weil er eine große musikalische Leidenschaft hat: Gern spielt er zweihändig Klavier, nachdem er mit dem großen Edding-Filzstift in die Rippenzwischenräume ausgesuchter Besucherinnen schwarze Striche gemalt hat. Unmittelbar nach der Trockung greift er nun in die Rippen und intoniert sensibel Chopins Lebenswerk auf Ingrids Brustkorb. Dafür hat er jahrelang auf Bettina Fingersatz geübt.
Doch zurück zum Kern: Beim Essen möchten die meisten Frauen nicht gestört werden, denn in vielen Fachzeitschriften haben sie bedrohliche Untersuchungen über die Folgen von Anrufen während der Nahrungsaufnahme gelesen, während beim Friseur ihre Dauerwelle nachgebleicht wurde. Die Forschung ist sich einig, daß dem Verhungern in aller Welt vor allem Eßstörungen vorausgehen.
Nun sucht der Schulmediziner nach Ursachen dieser Eßstörungen in der Kindheit – erfolglos -, und dann fällt ihm keine Therapie ein. Warum verhungern immer mehr ganz normale Menschen in unserer Überflußgesellschaft? Die Lösung ist faszinierend einfach: Kaum versucht man, einen Happen zu essen, ruft wieder jemand an. Und weil man eine so gute Figur vom Hungern hat, rufen immer mehr Leute an.
Letzte Rettung: Anrufbeantworter – damit wir wieder ein bißchen was auf die Rippen kriegen.
Andererseits würde es auch nichts nützen, ein paar Millionen Anrufbeantworter über Afrika abzuwerfen, um das Hungerproblem in den Griff zu bekommen.

Wichtige Fernsehsendungen

Man könnte ja den Hörer neben den Apparat legen, wenn einmal im Monat eine interessante Sendung im Fernsehen kommt. Aber was kann man tun, wenn man besonders tolerant und begeisterungsfähig ist und einen weitgefächerten Fernsehgeschmack hat? Soll den ganzen Tag lang der Hörer neben dem Telefon liegen?

Ansagen

Die Ansagen der Prominenz

Der Kanzler

Gern läßt sich der Kanzler mit einem Telefonhörer in der Hand ablichten, während er souverän in die Kamera blinzelt.
Nur wenige Menschen ahnen, mit welch großem Aufwand diese Fotos gestellt werden. Eine erfahrene Stylistin aus dem Bekanntenkreis der Kanzlersekretärin Juliane Weber, mit der Kohl noch nie ein Verhältnis hatte, bringt den Staatslenker effektvoll in Positur und drückt ihm den Hörer in die Hand. Sogar richtig rum!
»Jetzt nicht bewegen!«, ruft sie ihm zu, damit er nichts vergeigen kann.
Die Fotos verfehlen ihre Wirkung nicht. Bei jeder Bundestagswahl profitiert der Kanzler von der Wahlwiederholungstaste in den Herzen der Menschen, weil sich die Bürger denken: Wer ein so kompliziertes technisches Gerät wie ein Telefon geradezu mühelos beherrscht, kann auch die Bundesrepublik Deutschland führen.

Die Wirklichkeit sieht selbstverständlich ganz anders aus. Der Kanzler telefoniert nie! Dazu hat er nicht nur nicht die Zeit. Er behauptet zwar immer, er hätte erst kürzlich mit seinem prominenten Freund X oder seinem noch prominenteren Freund Y telefoniert. Aber das ist geflunkert, unter anderem, weil der Kanzler keine Freunde hat und jeder andere sofort auflegt, wenn er erkennt, daß Dr. Helmut Kohl ihm die Zeit stehlen will.
Belügt uns der Kanzler also? Grundsätzlich ja, allerdings nicht in dieser Telefonfrage. Denn er selbst ist überzeugt, er telefoniere tatsächlich. Doch diese

Täuschung geht auf seine schlaue Vorzimmerdame zurück: Sie macht alles, absolut alles, was der Kanzler verlangt, und wenn er sie aus seinen treuen Augen heraus anfleht, er wolle mit diesem oder jenem prominenten Politiker sprechen, dann drückt sie einfach solange irgendwie auf dem Tastenfeld des Kanzlertelefons herum, bis sich jemand meldet.
Nun stellt sie das Gespräch durch. Munter redet der Kanzler drauflos. Wenn er sich gegen Ende seines Monologes verabschiedet, hat der Gesprächspartner meist längst aufgelegt. Aber der Kanzler läßt sich nun mal nicht beirren – am allerwenigsten von etwas, das er nicht einmal bemerkt.

Ansage Kohl (gerade Monate)

»Liebe Anruferin, lieber Anrufer. Ich kenne Ihre Sorgen und Nöte genau, und ich weiß auch, was Sie mich fragen wollen. Daher hier meine Antwort, und verzeihen Sie mir, daß ich Sie nicht extra zurückrufen kann: Zuerst stanzen Sie noch ein paar Löcher im Abstand der anderen in die Mitte des Lederstreifens, dann schieben Sie das spitz zulaufende Ende durch das Metallding vor Ihrem Bauch und ziehen bis an die Schmerzgrenze. Danach rufen Sie in der CDU-Parteizentrale an und bestellen dort den ›Ich habe den Gürtel enger geschnallt‹-Aufkleber.«

Ansage Kohl (ungerade Monate)

»Hier ist Ihr Bundeskanzler, Dr. Helmut Kohl. Vielen Dank, daß Sie mich anrufen, um mir Ihre Probleme zu schildern. Ich bin nicht zu Hause, weil ich mich gerade draußen im Lande um Ihre Probleme kümmere. Schon in wenigen Tagen werden sie gelöst sein. Achten Sie einmal ganz genau darauf. Wenn Sie keine Veränderung bemerken, dann liegt das an Ihrem Mangel an gutem Willen.«

Thomas Gottschalk

Thomas Gottschalk hat drei Telefonnummern zu Hause, und an jeder hängt ein eigener, selbstgeklauter Anrufbeantworter. Wenn sich Thomas Gottschalk in seiner Wohnung aufhält und eines der Telefone klingelt, geht er nicht an den Apparat, weil er ständig damit beschäftigt ist, einen seiner Anrufbeantworter mit einer neuen Ansage zu besprechen.
Eigentlich benutzt Thomas Gottschalk eher konventionelle Beantworter, und doch unterscheiden sie sich wesentlich von den Geräten aller anderen Menschen in Deutschland: Gottschalk verwendet als Ansagekassette ein Band mit 60 Minuten Laufzeit. Es weist eine Spezialbeschichtung mit einem stußunempfindlichen Chromdioxid auf.
Unser Star verbringt unvorstellbar viel Zeit mit dem Aufsprechen seiner

Ansagen. Das Band ist nämlich immer schon zu Ende, wenn Tommi nach gut 60 Minuten noch kurz das mit dem Piep erklären will. »Scheiße!«, ruft unser Lieblingsshowmaster dann, »schon wieder ist das Band zu Ende.«
Jetzt muß der Arme die ganzen 60 Minuten Ansage zurückspulen, und dann mit seiner Ansage noch mal von vorne anfangen.
Das klingt nach Zeitverschwendung. Ganz falsch! Denn Thomas Gottschalk spart sehr viel Zeit bei seinen Rückrufen. Kaum einer seiner Anrufer nämlich hält die 60-Minuten-Ansagen durch. So erklärt es sich, daß der prominenteste Quassler Deutschlands nach Hause kommt und nie eine Nachricht auf seinen Bändern vorfindet.

Michael Jackson

Seit Jahren wünscht er sich einen Anrufbeanworter, der seinen Bedürfnissen entspricht. Aber alles scheitert daran, daß Michaels Freundeskreis wenig Spaß am Telefonieren hat. Dabei sind seine Kumpels sonst überaus nette Tiere.
Trotzdem hat sich Michael Jackson sowohl ein Telefon als auch einen Anrufbeantworter installieren lassen. Seine Nachricht:

> »Hallo Doktor! Ich kann im Augenblick noch nicht sprechen, aber ich rufe Sie zurück, sobald die Schwellung zurückgegangen ist und ich so aussehe, wie wir vor der Operation vertraglich vereinbart haben.«

Einige Zeit lang lief eine andere Nachricht auf Michaels Anrufbeantworter:

> »Hallo Schätzchen, ich werde mich ein bißchen verspäten, aber als ich Bescheid sagen wollte, war dein Anschluß besetzt. Ich bin gleich bei dir.«

Wir wissen inzwischen, daß Michael diese Ansage eher scherzhaft gemeint hat und hoffte, man würde ihm ab jetzt zutrauen, daß er mit Männern oder Frauen Petting betreibt.
Dennoch wurde die Nachrichtenkassette von Michael den Flammen seines überdimensionalen Kamins überantwortet, als er einen Abend von der Arbeit nach Hause kam und wie vom Schlag getroffen wurde: Kollektivselbstmord seiner sensiblen Schoßtiere. Das Motiv war eindeutig Eifersucht, auch wenn keine Abschiedsbriefe gefunden wurden – außer ein paar letzten und irgendwie echt duften Reviermarkierungen in Bett und Schuhschrank.

Manfred Stolpe

»Sollten Sie einer meiner ehemaligen Stasivorgesetzten sein, hinterlassen Sie bitte weder Orden noch Nachricht. Sonst würde ich mich wieder an was erinnern müssen.«

Graf Dracula

Täglich wechselt diese bekannte Persönlichkeit des öffentlichen Lebens bzw. Sterbens zwischen zwei bewährten und informativen Ansagen:

1. »Im Augenblick ruhe ich mich aus. Nur in dringenden Fällen bin ich aber unter meiner direkten Sargnummer zu erreichen. Ansonsten versuchen Sie es bitte nach Einbruch der Dunkelheit noch einmal.«
2. »(Mit Strohhalm letzte Reste aus einem Glas schlürfen.) Dies ist die Nachtnummer von Graf Dracula, seit letzter Woche 24 Stunden rund um die Uhr besetzt. Ich rufe zurück, (hicks!) sobald ich (rülps!) mit der Nahrungsaufnahme (Panikschreie einer zweiten Person werden erstickt) fertig bin.«

Antje Vollmer

»Ich kann gerade nicht ans Telefon kommen, weil ich erst zu Ende weinen möchte. Ich rufe in den nächsten Monaten zurück.«

Erich Mielke

»Wenn Sie Mitglied im Kampfkader für die Wiederbefreiung der DDR vom Diktat der DM werden wollen, hinterlassen Sie irgendeine verschlüsselte Nachricht auf Band. Den Schlüssel werfen Sie dann in einen Briefkasten, den Sie durch einen gezielten Schuß zum toten Briefkasten machen können. Herr Stolpe, Herr DeMaizière oder Uwe Barschel melden sich dann bei Ihnen.«

Herbert Grönemeyer

»Hallo, dies ist der Anschluß von Herbert Grönemeyer. Sie werden sich vielleicht wundern, warum ich mit einer so ganz ungewohnten Stimme spreche. Nun: Es ist nicht meine eigene, denn trotz langjähriger Therapie in der Selbsthilfegruppe ist es mir nicht gelungen, mein Stammeln zu überwinden. Und ich möchte verstanden werden. Bitte, bitte, versteh mich vor dem Piep!«

PRINZ "CHARLES"

Richard von Weizsäcker

»Es gibt kein Thema, über das Sie sich nicht mit fast jedem anderen Mitbürger interessanter unterhalten könnten als mit mir.«

Rudi Carrell

»Sie haben sich ganz bestimmt verwählt.«
Rudi hat recht. Absichtlich ruft ihn niemand an.

Erika Berger

»Sag mir nach dem Piep, von welcher Kreditkarte ich den Hunderter für die ersten 10 Minuten abbuchen soll, und dann rufe ich zurück, weil ich ganz heiß darauf bin, dir von meinen Phantasien zu erzählen.«

Udo Lindenberg
»Hallo, hier ist Udo Lindenberg. Und jetzt bitte keine Beschimpfungen, ich denke über meine Musik genau wie du, du. Ich verspreche, von einem Tag auf den anderen einer ordentlichen Arbeit nachzugehen, wenn du mir ein monatliches Festgehalt von 6.500 netto überweist.«

Götz George
»Hi! Ich bin gerade in der Männergruppe.«

Rosa von Praunheim
»Hallo. Ich bin gerade in der Männergruppe.«

Claudia Schiffer
»Hier ist die Claudia, und das ist das einzige, was ich sagen darf, ohne mich zu blamieren.«

Harald Juhnke
»(Lallend:) Es ist mir im Augenblick leider nicht möglich, mit Ihnen zu sprechen, und möchte betonen, daß es nicht am Alkohol liegt.«

Peter Handke
»Ich lese gerade ein Buch von mir und schreibe dabei ein Buch darüber. Ich melde mich, sobald ich irgendwie klarer sehe.«[2]

---

[2] Was natürlich für uns bedeutet: Wir können den Anschluß getrost abmelden.

Minister Krause

»Ich finde es unheimlich toll, daß du dich auf meine Kontaktanzeige gemeldet hast.«

Jesus Christus

»Ständig rufen mich Leute an. Selten hinterläßt jemand eine Botschaft, weil sie alle sagen, ihnen reicht meine Botschaft. Wahrlich, ich sage euch: Wer nach dem Piep nicht spricht, kann mich kreuzweise.«

Tutenchamun

»Ich bin gerade im Museum.«

Shirley MacLaine

»Tut mir echt leid, daß ich dich in meinem letzten Leben nicht angerufen habe.«

Jürgen Möllemann

»Ich bin nicht zu Hause, weil das meiner Familie auf die Dauer zu peinlich geworden ist.«

Rudi Völler und Berti Vogts

Ständig grübeln die über die Frage nach, wieso sie nie im Auto angerufen werden. Dabei ziehen sie, wenn sie die Wohnung verlassen, immer das Telefon aus der Dose und nehmen es mit in den Mercedes. In der Wohnung werden sie ständig angerufen, im Auto nie. Dabei ist es jedesmal dasselbe Gerät. Irgendwas ist da faul.

TUT- ENCH-AMUN

Ansager-Steckbriefe

Der unheimlich offene Typ

Offen ist sein Ohr für alles, vor allem natürlich für das, was aus seinem ständig noch offeneren Mund herausquillt. Entsprechend hören sich seine Ansagen an:

> »Du, hallo, hier ist Dieter, und ich find's voll gut, daß du mit mir reden wolltest. Okay, telefonieren, klar, aber andererseits, andere Leute reden gar nicht mehr miteinander, und ich finde es echt besser, wenn man irgendwie kommuniziert, und wie, das will ich erstmal gar nicht bewerten, du.«

Nach diesem kurzen einleitenden Satz folgt eine Kunstpause, und dann kommt der unheimliche offene Typ zum Kern.

> »Hoffentlich findest du es nicht irgendwo zu unpersönlich, daß das jetzt nicht ich bin, sondern eine Maschine, obwohl eigentlich bin ich das schon, nur eben vom Band, und mir wär's auch lieber, wenn ich da wäre.«

Etwas umständlich erklärt der unheimlich offene Typ nun, daß er sich über alles freut, was man ihm auf dem Band hinterläßt, und macht auch noch ein paar Vorschläge, was man ihm erzählen könnte – nur für den Fall, daß man nur das sagen wollte, was er immer sagen will: nichts.

Der etwas verklemmte und eher unspontane Typ

Nichts findet er unangenehmer als für den gehalten zu werden, der er ist. Also beschafft er sich einen der beiden Ratgeber zum Thema witzige Anrufbeantworter und sucht sich einen richtig fetzigen Spruch aus.

> »Wenn Sie nach dem Piep Ihre Telefonnummer und den Grund Ihres Anrufes sagen, nehmen Sie an der Verlosung eines Rückrufes teil.«

Das ist nicht besonders witzig – aber immer noch witziger als er je sein könnte.
Nun geht es ans Aufsprechen des Spruchs. Erst schreibt sich dieser Typ seinen Spruch auf einen Zettel. Dann kniet er vor dem Anrufbeantworter nieder und mißt mit einem Maßband den im eben erst auswendig gelernten Handbuch notierten korrekten Abstand zwischen seinem Mund und dem eingebauten Mikrophon.

Das gesamte Wochenende beschäftigt er sich damit, den Spruch immer wieder neu auf sein Ansageband zu sprechen – bis er nicht mehr abgelesen klingt. Sondern nur noch auswendig gelernt.

Der wahnsinnig moderne Typ

Wenn er sich anrufen würde, denkt er, dann wüßte er: Ich rufe einen wahnsinnig modernen Typ an, einen, der alles schon kennt und der Masse weit voraus ist – und zwar in allem.
Klar, daß so einer nicht irgendeinen abgedroschenen Spruch auf dem Anrufbeantworter hat. Schon gar nicht versucht er, witzig zu sein. Die Maschine ist für ihn so normal wie für andere die Wasserspülung im Klo. Seine Ansagen werden auf das absolute Minimum reduziert.
Mit anderen Worten: Er überschätzt seine Anrufer – natürlich auch, weil er gerne enttäuscht ist. Daher findet er auf seinem Band immer die Laute der Verunsicherung:

> »Äh, hallo? Was ist denn das jetzt? Das war doch gerade ein Piep. Nicht? Herbert!? Hast du jetzt abgenommen? Scheint kaputt zu sein.«

Ist Herbert aber nicht.
Es ist schon zum Verzweifeln, denkt sich Herbert, und ändert, enttäuscht über die Begriffsstutzigkeit seines Bekanntenkreises, die Ansage.

Aus dem avantgardistisch vorbildlichen, aber auch sehr mißverständlichen
»Du bist dran«,
wird aus Resignation ein eher anspruchsloser Spruch wie
»Hier ist der Anrufbeantworter von Herbert, und ich würde mich freuen, wenn du dem nun etwas sagen würdest.«
Oder so ähnlich.
Er findet das konventionell und überlegt, ob er sich nicht eine zweite Telefonnummer leisten sollte, die er dann nur intelligenten Mitmenschen angibt.

Der Einsame

Jeder Sozialkontakt ist Gold wert. Der Einsame kauft sich daher einen Anrufbeantworter von »Tiptel«, weil der auch die Anzahl der Anrufe mitzählt, die nichts aufs Band gesprochen haben.
Mit seiner Ansage versucht der Einsame, es allen recht zu machen. Schlaflose Nächte lang zermartert er sich das Gehirn auf der Suche nach der definitiven Ansage, die jeden Anrufer zum Hinterlassen einer Nachricht überredet. Und bitte, bitte, möglichst lange sollen sie ihm aufs Band reden.
Wenn der Einsame nach Hause kommt und seinen Anrufbeantworter abhört, so spult er die Kassette ganz an den Anfang zurück und spielt sich sämtliche Anrufe seit Anschaffung des Gerätes vor. Alle vier, einschließlich des einen Verwählers.
Flackert bei Heimkehr die Blinkanzeige seines Anrufbeantworters nicht, spult er ebenfalls ganz zurück, hört alles noch mal durch und überprüft, ob das Gerät vielleicht doch etwas aufgenommen hat, aber die Flackerautomatik nicht mehr funktioniert.
Gern ruft der Einsame zurück. Im Bekanntenkreis sind seine Rückrufe berühmt und gefürchtet, so daß niemand ihn darum bittet.
Also ruft er nach dem Zufallsprinzip wildfremde Leute an[3] und behauptet, dies sei ein Rückruf. So entstehen in einem von 14 Fällen hochinteressante Gespräche, denn einer von 14 angeblich »Zurückgerufenen« ist so einsam, daß er glaubt: Verwählen ist die moderne Form von Schicksal.
Man telefoniert noch ein paarmal miteinander. Stundenlang. Scheint sich schon seit Jahren zu kennen, obwohl man erst seit zwei Jahren miteinander telefoniert. Man müßte sich mal treffen.
Tut es auch. Und ist danach wieder einsam.

[3] Siehe in diesem Zusammenhang auch das über unseren Vereinigungskanzler Berichtete.

Idioten

Der Anrufbeantworter ist angeschaltet, aber wenn man nach Hause kommt, leuchtet das Lämpchen noch immer in ruhigem Dauerrot. Erst nach Monaten ohne Nachricht kommt diese Personengruppe auf die Idee, den Anrufbeantworter in die Telefondose zu stöpseln.
Nachdenken ist nun mal nicht die Stärke der Idioten, das überlassen sie lieber den Vollidioten.

Der seriöse Oberlehrertyp

Nur nichts Auffälliges sagen. Er erklärt geduldig die Funktionen des Gerätes:

»Bitte sprechen Sie nach dem akustischen Signalton«.

Leider hat der Anrufbeantworter keinen optischen Signalton.

»Sagen Sie zuerst deutlich Ihren Namen, Ihre Rufnummer und den Grund Ihres Anrufes.«

Der geheimnisvolle Typ

Er meldet sich nicht mit Namen, sondern höchstens – und dazu muß er schon einen verdammt guten Tag haben – mit

»Hallo?«.

Am liebsten meldet er sich gar nicht und hat daher oft Ärger mit der Meldebehörde.
Eigentlich hat man seit dem Abitur nichts mehr von ihm gehört. Er ruft nicht an und nicht zurück.
Auf seinem Anrufbeantworter hört man nur das Knacken des Einschaltens, und dann folgt schon der Piep. Jeder Anrufer legt also erst zweimal auf, bevor er beim dritten Mal in Erwägung zieht, daß es sich hier nicht um einen Defekt des Gerätes handelt – sondern um einen seines Besitzers.

Der Kosmopolit

Kreuzung aus Neapolitaner und Kosmonaut. Nach der Erfindung der gleichnamigen Frauenzeitschrift hat der Kosmopolit sich nicht aufs Altenteil begeben, sondern wacker weiter und mehrsprachig an der Völkerbeschädigung gearbeitet.
Der Kosmopolit ist volksnah und nie elitär. Und er überfordert seine Mitmenschen nicht gern. Für den Fall, daß einer seiner Anrufer mal nicht ganz so gebildet, kosmopolitisch und polyglott sein sollte wie er, hat er seinen Anruf-

beantworter in den wichtigsten der Sprachen besprochen, die seine häufigeren Anrufer daheim sprechen. Kurz: Man könnte ihn mit den Ansagern beim Eurovision Schlagerfestival verwechseln.
Am liebsten spricht er übrigens seine Ansage aufs Band, wenn jemand daneben steht, dem soviel Fremdsprachgewalt erst die Mutter- und dann die Gossensprache verschlägt.

Die Hausfrau

Bekanntlich sind Hausfrauen neulich ausgestorben und durch die sogenannte »Powerfrau« ersetzt worden. Die Frau also, die alles im Griff und keine Freizeit hat, zur Erreichung dieses Zustandes aber nicht unbedingt arbeiten gehen muß.
Sie braucht den Anrufbeantworter, um nachmittags nicht mitten in einer spannenden Seifenoper oder Gameshow zum Telefon rennen zu müssen. Außerdem macht es sich immer gut, wenn sie gerade unterwegs ist und »was erledigt«, zumal ihr Intimpartner und Ernährer ohnehin nur aus Langweile anruft, um sie zu bitten: »Du, könntest du mal eben was für mich besorgen?« Nein – er besorgt es ihr ja auch nicht.

Musikalische Mitmenschen

Unaufdringlich legen sie ihre sonore Ansagestimme auf einen Teppich anspruchsvollen Musikgeschmacks. Für Anrufer hat das mehrere Vorteile:

Sie können sich einschleimen, indem sie fragen, was das denn gerade für eine tolle Hintergrundmusik gewesen sei; oder sie können gleich auflegen, denn den Geschmack kann man niemandem durchgehen lassen – auch Julia Roberts oder dem Burschen aus der »501«-Reklame nicht.

Gute und schlechte Hintergrund-geräusche

Unaufdringlich belegt die Geräuschkulisse beim Aufsprechen einer Ansage die Kulturstufe des Anrufbeantworter-Besitzers.

Fernsehen

Fernsehen wird heutzutage mit allgemeinem Versagen gleichgesetzt. Wer in die Glotze sieht, hat keine bessere Idee, sein Leben zu füllen. Er hat keine Freunde, er hat keine Aufgabe, er liest nicht, er geht nicht aus, er telefoniert noch nicht mal – weil niemand mit ihm telefonieren will.

Radio

Schon besser als Fernsehen, wirkt aber auch irgendwie oberflächlich nach »kann nicht allein sein« und »braucht immer Gedudel und Hektik um sich herum«, ist aber zu mittellos, um sich Kinder kaufen zu können.

Die richtige Hintergrundmusik

Vor allem darf sie nicht nach Radio klingen. Wer die Musik freiwillig hört, die ständig im Radio kommt, wirkt konventionell. Und das wollen wir nicht – außer wenn wir Versicherungen verkaufen möchten.
Was nimmt man also, wenn man seine ergreifende Ansage auf eine passende Hintergrundmusik sprechen möchte?
Wir gehen zu jemandem, der uns sagen kann, welche Art von gutem Geschmack man uns gerade noch glauben würde. Ziel: Der Anrufer soll seine übliche Nachricht aufs Band sprechen und dann noch die Frage anhängen, was das da eigentlich für eine hochinteressante und überaus anspruchsvolle Musik im Hintergrund gewesen sei.

E oder U?

Immer peinlich wirken Wiedererkennungseffekte aus der Abteilung: Anspruchsvolles für Leute, die anspruchslos sind. Hier ist vor allem ein

Künstler zu nennen, dessen popmusikalische Musik strikt verboten ist: Miles Davis. Den nehmen nämlich alle, die sophisticated sein wollen, diesen Begriff aber noch nie nachgeschlagen haben.
Ebenfalls als Ordnungswidrigkeit zählt und wird geahndet die Verwendung folgender Machwerke: das Ohrwurmgesamtwerk von Mozart oder Tatatataaaa von Beethoven. Und natürlich alles, auf das der Satz zutrifft: Da geht der Bach runter wie Öl[4].
Es gibt ein Stück, das extra geschrieben wurde, um es als Ansage auf Anrufbeantwortern zu verwenden. Ein gewisser Herr M.C. Hammer aus den USA hat in englischer Sprache gesagt: »Hallo, wie geht's?[5] Tut mir leid, daß du nicht zu mir durchkommen konntest. Bitte hinterlasse deinen Namen und deine Nummer, und ich werde dich zurückrufen« etc. Das klingt ganz nett, aber originell kann man es nur nennen, wenn man jemanden wie Wolfgang Lippert originell findet.
Auch andere Musikstücke werden gern als Ansage montiert, wenn bestimmte Textzeilen so bedeutungsschwanger sind, daß sie auch bei medizinischer Indikation nicht mehr abgetrieben werden dürfen. Regelmäßig wird mit Zaunpfählen gewinkt und dabei subtil die profunde Kenntnis der englischen Sprache belegt.

[4] Brandenburgische Konzerte, außer in der Interpretation von Stolpes Stasi-Orchester.
[5] »Hello, how ›a doin‹?«

Das Prädikat »Empfehlenswert!« bekommen nur Klänge, die niemand kennt. Gehen Sie also zu einem CD-Verleih und fragen Sie nach den absoluten Szene-Geheimtip-Ladenhütern für Insider.

Musik-Verwender

Regelmäßig verwechseln jene Eigner eines Anrufbeantworters Peinlichkeit mit Persönlichkeit. Sie sprechen ihre Ansagen »über« launige Liedchen aus dem Popbereich oder der Ella-Fitzgerald-Forschung. Das sind die Typen, die sich schwüle Sommernächte lang ausmalten, es würde auf Plakaten angekündigt, wenn sie sich künstlerischen Ruhm und eine tolles Nebeneinkommen verdienten – als Aushilfs-DJ[6] im Nachbardorf.

Kinder

Der Besitz von ein oder zwei Kindern wird heutzutage vielfach mit sozialem Versagen gleichgesetzt, es sei denn, sie seien längst aus dem Haus, also im Erziehungsheim oder in der Gosse.
Wirklicher Kinderreichtum hingegen ist sozial zunehmend akzeptabel, ja man wird sogar beneidet um Kinder, die mit Tennis oder Nacktbildern reich geworden sind.
Besonders verbreitet ist folgende gemäßigte Auffassung: Ist ja nicht schlimm, wenn man Kinder hat, aber peinlich wird es, wenn jemand es mitbekommt. Auch kinderliebe Anrufer verlieren den Respekt vor einer Person, die ihre Kinder so wenig im Griff hat, daß sie selbst beim Besprechen der wichtigen Ansage hineinlärmen oder sonstwie stören.

Wenn Kinder den Anrufbeantworter besprechen

Einerseits mag es erzieherisch wertvoll sein, die Kids schon im jüngsten Alter an die wesentlichen Eckpfeiler der Zivilisation zu gewöhnen, sie also den Umgang mit dem Anrufbeantworter lernen zu lassen, sobald sie sich mit Videorekordern und Horrorstreifen auskennen. Darüber dürfen aber die Nachteile des kindlichen Umgangs mit Anrufbeantwortern nicht vergessen werden:
1. Jeder Anrufer weiß sofort, daß man Kinder hat. Das kann einem Chancen versauen, wenn auch nur bei Kinderfeinden.

---

[6] Das heißt Diskjockey . . .

2. Viele Anrufer könnten den Eindruck bekommen, nur das Kind des Hauses sei imstande, zwei zusammenhängende Sätze flüssig vorzutragen. Wir müssen uns dann Mühe geben, diese Anrufer nicht zu enttäuschen – also beim nächsten Hausbesuch tatsächlich dümmer sein als unsere fast vorschulpflichtigen Fehltritte der Vergangenheit.
3. Das Kind bildet sich ein, es dürfe ab jetzt mit dem Anrufbeantworter herumspielen. Ich habe schon unzählige Geschichten von Kassetten gehört, die von den frühreifen und unerzogenen Blagen gelöscht wurden. Andererseits: Was hätten sie machen sollen, nachdem sie beim Spielen den Anrufbeantworter samt Band in Brand gesetzt hatten? Selbstverständlich passiert sowas immer, wenn gerade die wichtigsten Nachrichten auf dem Band aufs Abhören warten.
4. Man hat kein Privatleben mehr, weil die Kinder ständig den Anrufbeantworter abhören. Ich kenne eine alleinerziehende Mutter, deren Tochter gerne die Verabredungsvorschläge der mißliebigen Verehrer sabotiert, weil sie immer noch von Muttis Ex schwärmt.

Vorschläge für überzeugende Ansagen

Bitte sag was – egal, was!

»Könnte sein, daß dir gleich eine Dachpfanne auf den Kopf fällt. Oder du wirst von einem Reisebus überrollt. Kann jedem mal passieren, und macht ja auch nichts, denn nach dem Piep hast du Gelegenheit, der Nachwelt ein paar intelligente letzte Worte zu hinterlassen.«

»Willst du dich dafür rächen, daß ich wieder mal nicht zu erreichen war, als du mich sooo notwendig brauchtest? Dann hast du zwei Möglichkeiten: erstens auflegen, aber das trifft mich nicht, weil ich nichts davon erfahre. Oder zweitens und viel wirkungsvoller könntest du mir sagen, wann ich dich unter welcher Nummer anrufen soll. Dann legst du in dieser Zeit einfach den Hörer neben das Telefon, und ich wähle mir die Finger wund.«

»Wenn ich dich zurückrufe, sag mir bitte nicht: 'Ich habe hundertmal bei dir angerufen.' Außer wenn du hundertmal was hinterlassen hast.«

»Sollten Sie sich verwählt haben, wäre das ein typischer Fall von Schicksal. Sprechen Sie daher bitte unbedingt nach dem Signal. Ich möchte nämlich Ihre Stimme unbedingt wiedererkennen können, sollte uns das Schicksal irgendwo als lebendige Menschen zusammenführen – z. B. in Untersuchungshaft.«

Folgendes Sätzchen bringt jeden zum Labern:
»Erinnerst du dich noch an damals?«

Witzige Ansagen

Als Einleitung einer längeren Ansage kann man folgenden Satz verwenden:
»Bitte jetzt sofort auflegen, sonst hören Sie eine längere Ansage.«
Auch nicht schlecht kommt der leider nicht immer unzutreffende Scherz:
»Ich bin nicht ganz da.«
Diese Ansage erwies sich allerdings als für die meisten Anrufer zu kurz, sagte mir der Freund, der diese Idee einige Wochen lang laufenließ. Viele seiner

Anrufer waren erst beim zweiten Anruf imstande, eine vernünftige Nachricht nach dem Piep vorzutragen. Manche berichteten, sie seien von der Ansage völlig aus dem Konzept gebracht worden. Andere Anrufer haben Nachrichten hinterlassen, die erst nach zwei Stottersekunden flüssiger zu werden begannen.
Daher änderte mein Freund die Ansage. Er fügte einen scherzhaften Satz hinzu, damit seine Anrufer mehr »Bedenkzeit« vor dem Piep hatten:
»Ich bin nicht ganz da. Aber wer jetzt gleich nach dem Piep sagt, das kenne man ja schon von mir, wird garantiert nicht zurückgerufen.«

»Ich bitte tausendmal um Entschuldigung für das psychische Trauma, das einer labilen Person wie dir durch meinen Anrufbeantworter zugefügt wird. Bitte nenne mir nach dem Piep dein Spendenkonto.«

»Entschuldigung, aber ich gehe nicht ans Telefon, weil ich mich im Augenblick nicht verstellen könnte.«

»Wann hast du Zeit, um dich zurückrufen zu lassen?«

»Zeit ist Geld. Ich bin nicht da, und das spart dir viel Zeit. Von dem somit gesparten Geld möchte ich sofort meine 25 % haben – oder der sizilianische Teil meiner Familie ruft dich zurück.«

»Hallo! Ein Glück, daß ich nicht zu Hause bin. Mit einem, der einen wie mich anruft, möchte ich gar nicht sprechen.«

Der falsche und der falscheste Zeitpunkt

»Ich kann im Augenblick nicht sprechen, weil ich keine Lust habe, das Gespräch auf der anderen Leitung vorzeitig zu beenden. Man will schließlich nicht sein Geld verschleudern, wenn man seine Telefonsex-Familienkarte aufbraucht.«

»Dies ist genau der falsche Zeitpunkt, um mich anzurufen. Ich habe gerade nicht die geringste Lust, dieses Telefon in die Hand zu nehmen, und dann bist es doch nur du.«

»Die ist der falscheste Zeitpunkt, um mich sprechen zu wollen. Ich bin gerade mitten in einem sehr wichtigen Selbstgespräch.«

Nun noch eine schöne Variante zum Thema »Innere Stimme«, diesmal kürzer, weniger anspruchsvoll, aber leider gar nicht selbstironisch:

»Ich kann im Moment nicht mit Ihnen sprechen. Wegen Heiserkeit der inneren Stimme.«

»Du rufst zu spät an. Ich habe mich gerade so total mit Drogen vollgepumpt, daß ich die nächsten paar Stunden nicht mehr ansprechbar bin. Danach rufe ich dich aber bestimmt zurück.«

»Ihr ruft alle zu spät an. Du auch! Ihr hättet euch eher um mich kümmern müssen! Aber ihr habt alle Warnzeichen übersehen. Alle! Jetzt liege ich randvoll mit Schlaftabletten und Rotwein in der Badewanne und bin nicht mehr zu retten. Trauerbezeugungen oder Jubelschreie bitte nach dem Piep.«

»Ich gehe gerade meiner zweitliebsten Beschäftigung nach: dem Versäumen hochinteressanter Anrufe. Nur eines mache ich noch lieber. (Pause, und dann frivol weiter:) Du ahnst schon, was ich damit meine? (Pause, und dann in gurrender VerführerInnen-Tonart:) Dann sprich mir aufs Band, wann ich dich zurückrufen soll.«

Geistreich

Mit folgendem Text hat ein Bekannter von mir hervorragende Erfolge erzielt. Jeder, der das erste Mal die folgende Ansage gehört hat, brauchte zwei oder drei Anläufe, manche sogar vier. Die meisten seiner Anrufer waren intelligent genug, um zu begreifen, daß es sich um puren Nonsens handelte. Einige wurden sauer, weil sie sich verarscht fühlten. Besonders lustig fand der Autor dieser Ansage übrigens die Reaktionen von Anrufern, die sich für besonders geistreich hielten und glaubten, es gäbe eine vernünftige Art, die Ansage zu interpretieren. Nur geeignet für Intellektuelle.

»Wenn Sie mir irgendwas Vernünftiges auf mein Band sprechen wollen, reden Sie bitte erst, nachdem Sie aufgelegt haben. Aber rufen Sie ruhig so oft an, bis Sie diese Ansage verstanden haben.«

Und nun einmal ein gleichzeitig geistreiches und witziges Synonym für »Bitte sprechen«:

»Meine Art Liebe zu zeigen, das ist ganz einfach Schweigen – singt Daliah Lavi. Wenn du mich nicht liebst, kannst du es mir nach dem Piep beweisen.«

Frech

»Sie wissen doch ganz genau, daß Sie keine Chance haben, von mir zurückgerufen zu werden. Ist es Ihnen wirklich alle naselang 23 Pfennig wert, ein paar Sekunden lang die Schönheit meiner Stimme zu genießen?«

Nachdem diese Ansage gut angekommen war, übernahm sie ein Verwandter des Autors in einer anderen Stadt und fügte folgendes an:

»Ich kann Ihnen gern 10 Minuten mit meiner Stimme auf Kassette aufnehmen und per Nachnahme für pauschal 28 Mark zuschicken. An wen soll die Sendung gehen? Und zu welchem Thema soll ich sprechen?«

Nicht sehr unkonventionell, aber schön kurz und ohne Schnörkel:

»Warum sollte ich ausgerechnet Sie zurückrufen? Ausgerechnet Sie?«

Mehr Bedenkzeit bekommen die Anrufer durch folgende etwas längere Version:

»Sie bilden sich wohl ein, Sie könnten zu irgendeiner Zeit einfach so bei mir anrufen, und dann lasse ich alles stehen und liegen, renne zum Telefon und unterhalte mich mit Ihnen! Warum sollte ich das tun?«

»Sprechen Sie nach dem Piep auf das Band. Es kann sich sowieso nicht wehren.«

»(Überschwenglich:)Kannst du dir vorstellen, wie ich mich darauf freue, dich zurückzurufen und wieder mal mit dir zu sprechen? Nein? (Plötzlich trocken und ernst:) Tja, ich auch nicht.«

»Leider habe ich im Augenblick etwas Interessanteres zu tun als mit dir zu telefonieren. Ich rufe aber zurück, sobald ich wieder aus dem Klo herauskomme.«

»Dieses Gerät macht gleich das, was du hast – einen.«

»Wenn es bei diesem Anruf um etwas Wichtiges gehen sollte, bitte keine Nachricht hinterlassen. Ich habe nicht die geringste Lust, zu helfen oder zuzuhören oder mich vollheulen zu lassen.«

»Dies ist eine der letzten Gelegenheiten, was auf mein Band zu sprechen. Demnächst lasse ich mir eine neue Nummer verpassen, und die bekommt nicht jeder.«

»(Weinend) Ich halte es nicht aus, es ist unerträglich. Ich kann nicht mit dir sprechen, schluchz, denn ich bin leider nicht zu Hause, weil ich ja nicht ahnen konnte, daß du gerade jetzt anrufen würdest.«

»Beichte nach dem Piep und ich spiele es dem Priester sonntags vor.«

Etwas reicher illustriert klingt das so:

»Hallo. Ich bin gerade in der Kirche und beichte. Das hättest du bestimmt auch mal wieder nötig. Du bist zu faul? Beichte nach dem Piep und ich spiele es dem Priester am nächsten Sonntag vor.«

»Ich kann im Augenblick leider nicht ans Telefon kommen, meine Freundin hat mich gerade erst an den Stuhl gefesselt, und außerdem sehe ich sie so selten in letzter Zeit – weil sie mir immer die Augen verbindet.«

»Sie wollen ein Interview mit mir? Ich kann mir kaum vorstellen, daß Sie mir ein interessanteres Angebot machen können als der ›stern‹. Wenn doch, dann haben Sie dazu Gelegenheit nach dem Piep.«

»Ich lese Ihnen jetzt Ihre Rechte vor. Sie haben kein Recht, die Aussage zu verweigern, denn jedes Schweigen wird Ihnen im nachfolgenden Verfahren zu Ihrem Nachteil ausgelegt und mit der Entziehung sämtlicher Rückrufe geahndet.«

»Ich bin zwar zu Hause und stehe sogar direkt neben dem Telefon. Trotzdem kann ich mich nicht mit Ihnen unterhalten. Ich leide unter einen extremen Telefonphobie und würde kein Wort rauskriegen. (Panisch:) Mein Herz, mein Herz! (Pause mit Ächzgeräuschen des Patienten.) Sagen Sie etwas Beruhigendes zu mir!«

»(Panisch:) Hallo, hier ist Hermann. Bitte, leg jetzt auf keinen Fall auf. Und rufe vor allem nicht die Polizei. Bitte! (Pause). Ich bin in der Gewalt von vier schwerbewaffneten Gangstern. Sag ihnen irgendwas Beruhigendes nach dem Piep. Sie werden mich gnadenlos erschießen, wenn du nach dem Signal nichts aufs Band sprichst.«

»Wenn Sie wegen der Partnertauschanzeige anrufen sollten, hinterlassen Sie bitte nach dem Piep, ob Sie lieber meine alte Kaffeemaschine oder das Wandregal gegen Ihren Partner eintauschen wollen.«

Studentisches Humorverständnis

Ein Literaturwissenschaftsstudent hatte folgende Ansage zu bieten:

»Sie rufen Jahre und teilweise sogar Jahrzehnte zu spät an. Alles Wichtige ist längst gesagt. Nach dem Piep können Sie allerdings Ihren geistigen Sperrmüll abladen.«

Stolz berichtete er mir, daß einer seiner Kommilitonen die Idee geklaut und in einer abgeänderten Version als sein geistiges Eigentum ausgegeben habe:

»Entsorgungsprobleme mit Gefahrgut wie Schwachsinn und Banalitäten? Deponieren Sie Ihren geistigen Sondermüll nach dem Piep.«

»Schon von den tollen Neckermann-Last-Minute-Angeboten gehört? Junge, war ich urlaubsreif! Ich unternehme gerade ganz spontan eine sagenhaft günstige Zeitreise. Bitte sprich nach dem Piep, und ich rufe dich dann vorgestern zurück. Wenn besetzt sein sollte, lasse ich dir auf dem nächsten Stop was ausrichten – durch deine Urgroßeltern großmütterlicherseits.«

»Tagchen, hier ist ein Kollege der Pilze zwischen deinen Zehen. Halt den Hörer mal an deinen Fuß. (Pause). Was gab's heute zu essen, Kumpels?«

»Ich bin gerade gestorben, weil ich mit meiner Fernabfrage rumgespielt und sie dabei verschluckt habe. Ich ruf dich aus dem Jenseits an, sobald sie wieder raus ist.«

»Hallo. Ich werde deine Nachricht per Fernabfrage am Mittwoch nächster Woche erhalten, denn mittwochs dürfen wir immer einen Anruf machen, hier im Knast. Eine Woche später rufe ich zurück.«

»Hallo, hier ist Frank. Ich mache gerade einen Banküberfall und rufe dich gleich danach an. Wahrscheinlich also in ungefähr sechs Jahren.«

Ansagen, die ulkige Nachrichten provozieren

Ganz sicher interessante Reaktionen bekommt man auch auf die folgende Nachricht:

»Der Arzt hat mir jede Aufregung verboten. Also nach dem Signal nur harmlose Sachen aufs Band sprechen.«

»Ich bin verzweifelt und weiß weder ein noch aus. Klaus hat mir die Pistole auf die Brust gesetzt, aber er hat vergessen, wo er die Patronen hingelegt hat.«

»Ich bin auf der Suche nach guten Vorsätzen. Kannst du mir beim Finden helfen? Guck mal unter dem Sofa.«

»Sag mir ganz ehrlich, was du über mich denkst. Sei bitte ganz aufrichtig und schone mich nicht.«

»Hat sich seit deinem letzten Anruf irgendwas in deinem Leben geändert?«

Nette und harmlose Ansagen

»Na, wollen wir hoffen, daß du bei deinen nächsten Anrufen mehr Glück hast. Bei mir darfst du nur aufs Band sprechen.«

»Ich bin gerade bei der Verleihung des Bundesverdienstkreuzes an mich. Für jahrelanges unermüdliches Zurückrufen.«

»Soll ich zurückrufen? Ja? Dann mache ich das mal. ZURÜ-HÜÜCK! Was ich sonst noch rufen soll, sagst du mir bitte nach dem Piep. Ich fange mit dem Training an, sobald ich wieder im Hause bin.«

»Ich befinde mich gerade in einer sehr bekannten Institution der Erwachsenenbildung, wo man im Laufe von wenigen Jahren alles das lernen kann, was einem auf dem ersten Bildungsweg die anderen Insassen noch nicht erklärt haben.«

»Ich mache gerade einen Banküberfall, damit ich mir die vielen Rückrufe leisten kann.«

»Nehmen Sie einen Hammer und schlagen Sie ihn sich auf einen Ihrer Finger. Das schmerzt noch mehr als der Umstand, daß ich nicht zu Hause bin.«

»Wollen wir hoffen, daß dies nicht meine letzten Worte sind. Wenn ich den Tag und die beknackten Nachrichten auf meinem Anrufbeantworter überstehe, rufe ich zurück.«

Rumalbern

»Ich bin nicht zu Hause. Na und? Es gibt Schlimmeres als das Pech, mich nicht erreicht zu haben – z. B. meinen Rückruf.«

»(Im Verschwörerton) Dieser Telefonanschluß wird abgehört. Und zwar von mir – sobald ich nach Hause komme.«

»Alle bekommen anonyme Anrufe, nur ich nicht. Das macht mich traurig – und neidisch. Also: Falls wir befreundet sein sollten, verstelle deine Stimme und werde widerlich.«

»Bitte, bitte, lieber Anrufer, lege nicht gleich auf, sondern sage irgendwas zu meinem Anrufbeantworter. Er ist jeden Tag stundenlang allein zu Haus, und manchmal habe ich Angst, daß er davon bald durchdreht.«

»Ich habe gerade einen zweiten Anrufbeantworter bestellt. Meiner war zu einsam und hat sich bitter darüber beschwert, daß niemand mit ihm spricht.«

Ein mit mir befreundeter Künstler läßt folgende Ansage laufen:
»Schnorrer bitte vor dem Piep auflegen. Mäzene bitte sprechen.«

»Brauchen Sie Bargeld sofort? Und helfen Sie gern anderen Menschen? Dann wenden Sie sich vertrauensvoll an uns, und Sie werden sich wundern, was für ein attraktives Angebot wir Ihnen für Ihre Niere machen können. Beachten Sie unser aktuelles und befristetes Sonderangebot: Wenn der Bauch schon mal auf ist, gleich Blinddarm mit raus. Für nur 199 Mark – die selbstverständlich mit Ihrem Spenderhonorar aufgerechnet werden.«

»Du, dufte, du, daß du durchrufst, du. Bring dich ein nach dem Piep, du.«

»Hier spricht das ZK der SED. Vielen Dank, daß wenigstens Sie noch mit uns reden wollen. Unser Politbüro ist im Augenblick nicht besetzt. Bitte hinterlassen Sie Ihre Ideen zur Befreiung der neuen Bundesländer nach dem Piep.«

»Ciao! Hier ist Gaetanos Spezialreinigung. Seit Jahrzehnten Spezialist für weiße Westen aller Art. Beachten Sie diese Woche unser Sonderangebot: schonende Geldwäsche bei 30, 60 und 95°. Mit angeschlossener Heiß- und Beweismangel.«

»Eigentlich wollte ich schon längst wieder zu Hause sein. Aber ich habe offenbar auf dem Heimweg die Orientierung verloren. Das passiert mir manchmal.«

»Wer errät, welche Geräusche er nach dem Piep macht, gewinnt auf jeden Fall einen Trostpreis.«

Der Anrufer heißt Bernd Klapper:

»Hallo Bernd, bist du es? Hier ist Bernd, also du. Ich find es irgendwie albern, daß du dich selbst anrufst, aber die anderen sind offenbar zu blöd, nach dem Piep eine Nachricht zu hinterlassen.«

Wenn Sie sich eine Ansage ausdenken wollen, beginnen Sie testweise mit den folgenden beiden Sätzen und bringen Sie dann eine witzige Begründung:

»Ich kann das Telefon im Augenblick nicht klingeln hören.«

»Dieser Anschluß ist vorübergehend nicht besetzt.«

Nachrichten

Irreführung mit Komplizen

Gute Führungskräfte sind selten und oft irre. Gute Irreführungskräfte sind noch seltener, denn eine fundierte Ausbildung wird nur bei den etwas unpopulär gewordenen »Diensten«[7] angeboten. Fest steht, daß es nicht ausreicht, als Führungkraft einfach durchzudrehen. Irreführung braucht kühle Intelligenz.
Besitzt man sie, macht Irreführung ungeheuer Spaß, und ich kann jedem nur raten, seinen Mitmenschen ab und zu ein paar Dutzend Anrufbeantworter-Streiche zu spielen.
Eine wichtige Voraussetzung für gelungene Späße der gnadenlosen Art ist neben einem funktionstüchtigen Anrufbeantworter auf der Seite des Opfers eine schlagkräftige Gruppe von Komplizen auf unserer Seite, denn als Einzelkämpfer sind unsere Möglichkeiten sehr beschränkt.
Die meisten Irreführungen funktionieren nämlich nur, wenn der Angerufene die Stimme nicht kennt, die ihn per Nachricht auf dem Band an der Nase herumführt. Man selbst kann sich seinem alten Schulfreund Eduard gegenüber nicht als persönlicher Referent des Geschäftsführers eines Ministers oder einer Sexshopkette ausgeben. Aber die Arbeitskollegen könnten!
Schaffen Sie sich also einen verschwiegenen Kreis von fünf oder sechs Verschwörern, mit denen Sie sonst möglichst wenig privat zu tun haben sollten – damit die Stimmen auf Ihren Partys nicht die gleichen sind wie die auf den Anrufbeantwortern Ihrer genasführten Verwandten und Bekannten.
Besonders gut für Ihre bösen Zwecke eignen sich Personen, die ihre Stimme glaubwürdig verstellen oder in verschiedenen Dialekten reden können. Unbezahl- und -schlagbar sind natürlich Spaßvögel, die die Stimmen anderer Menschen zu imitieren oder sogar zu parodieren vermögen.
Im Büro können wir schnell mal einen Kollegen bitten, ein kurzes irreführendes Anrufbeantworter-Telefonat für uns zu führen. Und am Wochenende? Ich habe mir für die arbeitsfreien Tage und natürlich auch für die dienstfreien Abendstunden eine kleine Kartei mit den Telefonnummern von Komplizen angelegt. Diese Leute kann ich anrufen und – wenn sie nicht mal wieder ihren scheiß Anrufbeantworter dran haben! – bitten, mir einen kleinen telefonischen Gefallen zu tun. Sie alle spielen gern bei meinen Streichen mit.

---

[7] BND, MAD, früher Stasi

Natürlich wollen meine Komplizen über das Ergebnis ihres selbstlosen Einsatzes informiert werden. Auch das gibt immer wieder sehr lustige Telefonate. Ein Freund hat den immensen Unterhaltungswert seiner Gemeinheiten entdeckt. Er schneidet alles mit, was mit einem Telefonjux zu tun hat: Wenn ich ihn anrufe, zeichnet er mit seinem Anrufbeantworter meine Ausführungen zur Vorgeschichte und meine besonderen Verarschungswünsche auf. Als nächstes läßt er das Band laufen, wenn er den schelmischen Anruf macht. Wenn wir dann am nächsten oder übernächsten Tag telefonisch über das Ergebnis der kleinen Gemeinheit sprechen, hält er auch das mit seinem Apparat fest.
Fertig ist eine schöne Kassette mit Vorgeschichte, Hauptteil, Schluß – und die verleiht er dann an Kumpels, damit sie sich bestens über den gelungenen Spaß amüsieren können.
So erspart er sich die Mühe, die ganze Juxgeschichte fünfmal hintereinander erzählen zu müssen.
Und alle sind begeistert . . .

Nachrichten und Nachrichtentechnik

Die unautorisierte Weitergabe von besonders beknackten Nachrichten

Ab und zu bekommt man die unsäglichsten Nachrichten aufs Band gesprochen. Meine Verwunderung und den Spaß, den ich gerade am schwachsinnigsten Gestottere habe, teile ich gern mit anderen Menschen, und so greife ich mitunter gleich nach dem Abhören, noch mit Tränen in den Augen, zum Telefon:

»Hör dir diesen Müll an!«

Und dann spiele ich die peinliche Nachricht auf die Anrufbeantworter der Freunde, die nicht zu Hause sind, um sich live mit mir zu amüsieren. Manchmal auch auf den Anrufbeantworter des Anrufers – aber nur, wenn ich gerade zu wenige Feinde haben sollte.

Nette Kurzmitteilungen

Eine ganze Reihe meiner Freunde und Bekannten zeichnen sich durch ihr vorbildliches Mitteilungsbedürfnis aus. Ständig rufen sie mich an, um meinem Anrufbeantworter ganz kurz ihre frisch erlebten und völlig unglaublichen Storys aufzutischen. Rückruf muß nicht sein. Aber revanchieren soll ich mich, wenn ich mal wieder was Unterhaltsames zu berichten habe.
Meinem Freund Dieter, einem als Komponist nicht sonderlich produktiven Musiker, versetze ich regelmäßig in Konkurrenzlaune, indem ich seinen Anrufbeantworter mit den neuesten Kompositionen vollspiele, die ich in meinem Ministudio zusammengebastelt habe.
Meine Freundin Sabine ruft oft an und sagt:

»Achim! Hör dir das an! *Ist* das geil!?«

Und dann kommt ihre neueste Schnulzenentdeckung, die gerade im Radio läuft, während Sabine in ihrem Laden sitzt, auf Kundschaft wartet und ihren Hund zu erziehen versucht.

Der Anruf als Postkarte

Ich rufe gern Freunde und Freundinnen an, wenn ich gerade an sie denke. Dann sage ich ihnen was Süßes auf den Anrufbeantworter:

»Jetzt ist es 14 Uhr, und du müßtest im Augenblick unter schrecklichem Schluckauf leiden – denn ich denke an dich. Schönen Tag noch, dein Achim.«

Rückruf nicht erforderlich.
Ich finde es schön, wenn jemand an mich denkt, und alle meine Bekannten sind genauso egomanisch.

Welche Nachrichten versauen uns den Tag am nachhaltigsten?

»Ich wollte dich bitten, mir einen kleinen Gefallen zu tun . . .«

So beginnen unsere schrecklichen Arbeitseinsätze als Abschleppunternehmen, Tapezierer, Chauffeur, Sekretärin, Spediteur, Möbelpacker, Inkasso-Experte, Heimtierschlachter etc.

»Vielleicht hast du eine Idee, wie man das Problem . . .«

In diesem Fall rechnet man uns meist weitläufig dem Bankwesen zu.

»Ich fühle mich total scheiße heute, und da dachte ich . . .«

Da sind wir als Krankenschwester, Altenpfleger, Psychotherapeut, Beichtvater, aber leider viel zu selten als aktiver Sterbehelfer gefragt.

»Du erinnerst dich bestimmt noch an . . .«

Ja, allerdings! Wer könnte ein so voreilig gegebenes Versprechen vergessen, wo man doch seit Tagen mit nichts anderem als Bereuen beschäftigt war!? Halt, stimmt nicht, es gab noch etwas anderes, das uns in Trab hielt: Das Hoffen nämlich, und zwar darauf, daß unser Anrufer das Versprechen vergessen würde.

»Du, ich bräuchte mal wieder mein . . .«

Aber wir haben das Geld im Moment nicht flüssig, und die Bohrmaschine müßte vorher erst repariert, das Kostüm gereinigt und genäht werden.

»Rate mal, welche Überraschung ich für dich habe?«

Neuestes amerikanische Studien belegen, daß Überraschungen in neun von zehn Fällen unangenehm sind. Platz eins der Hitparade grauenhafter Überraschungen: Unerwarteter Besuch, der über Nacht bleibt. Und das wochenlang.

Die Ping-Pong-Nachrichtenstaffel

Ich habe neulich mal einen Freund angerufen, der beim Fernsehen arbeitet. Er besitzt drei Anrufbeantworter. Ich sagte:

»Hallo, hier ist Achim. Hm, du scheinst gerade nicht in deiner Wohnung zu sein. Oder hast du nur leise gestellt und gehst nicht dran? Dann versuch ich's kurz auf der anderen Nummer.«

Auf der anderen Nummer der zweite Anrufbeantworter.

»Tja, du scheinst wirklich nicht in deiner Wohnung zu sein. Schade. Naja, vielleicht bist du im Büro.«

Im Büro der dritte Anrufbeantworter.

»Wenn du einen deiner Anrufbeantworter in der nächsten Zeit anrufen solltest, ruf mich doch kurz zurück.«

Ich hatte nämlich gerade Langeweile, und drei andere Bekannte waren auch nur in Form eines Anrufbeantworters anwesend, dem ich mitteilen mußte, daß man gerade die Gelegenheit versäumt hatte, mit mir die Langeweile bei Kaffee und Kuchen zu bekämpfen.

Der Freund rief mich zurück, das erste Mal fünf Minuten nachdem ich das Haus verlassen hatte, um allein ins Café zu gehen.

»Also Achim, ich bin jetzt zu Hause. Ruf mich auf der 71 an.«

Eine Stunde später, ich war immer noch unterwegs, zweite Nachricht:

»Ich muß jetzt wieder los. Melde dich mal.«

Ich rief zurück. Bedankte mich für die Rückrufe.

»Wir müssen unbedingt was unternehmen.«,

sagte ich auf seinen Anrufbeantworter. Abends schon hatte mein Freund einen Vorschlag, den mein Anrufbeantworter gutmütig aufnahm.

Mein Rückruf:

»Schade, jetzt scheinst du schon weg zu sein. Wenn du deine Quatsche abhörst, sag mir doch die Adresse von der Party durch.«

Als ich das nächste Mal nach Hause kam, sagte mir mein Band:

»Ich komme gerade von der Party zurück. War nicht viel los. Jetzt leg ich mich hin und stelle die Geräte leise. Mann, bin ich müde. Bis morgen.«

Immerhin tröstlich, daß wir den Rekord im unpersönlichen Nachrichtenaustausch aufgestellt haben.

Die einzige Nachricht, die noch nie von einem Anrufbeantworter aufgezeichnet werden konnte

»Ich hatte keine Lust, die Ansage bis zu Ende anzuhören.«

Sie machen jedem Anrufbeantworter-Besitzer eine riesige Freude, wenn Sie ihm folgendes aufs Band sprechen:

»Hi, ich bin's nur. Entschuldige, daß ich dir nichts auf dein Band spreche, aber ich hatte keine Lust, deine Nachricht bis zum Ende anzuhören.«

Tja, der Angerufene wird nun diese paradoxe Paranuß zu knacken versuchen. Er hat ja reichlich trainiert, als sein Zen-Meister von ihm verlangte, sich erst das Klatschen zweier Hände vorzustellen und dann das Klatschen einer einzigen.
Sollte man, wie beim folgenden Beispiel, diese Nachricht doch auf dem Band finden, ist irgendwas schief gelaufen.

»Ich hatte keine Lust, die Ansage bis zu Ende anzuhören«

So lautet die Lieblingslüge des Anrufbeantworter-Zeitalters. Früher sagte man:

> »Ich hab's / tausendmal probiert, und / tausendmal ist nichts passiert.«

Tausendundeine Nacht / hat's nur tuut tuut gemacht.
Seit jeder einen Automaten hat, muß man sich regelmäßig fragen lassen:

> »Wenn du doch – angeblich – angerufen hast, wieso hast du nichts auf dem Band hinterlassen?«

Früher konnte man darauf stolz antworten:

> »Ich hasse diese Dinger.«

Wer aber heute behauptet, er spreche grundsätzlich nichts auf Anrufbeantworter, steht sofort unter Verdacht, Ex-DDR-Bürger zu sein. Und wer möchte das schon?
Wie vollmundig und überlegen klingt dagegen das trocken hingeworfene

> »Ich hatte keine Lust, die Ansage bis zu Ende anzuhören.«

Zum einen heißt das ja: »Die Ansage war unter dem Niveau, das man mir für meine 23 Pfennig zumuten darf.« Genauso DDR-untypisch wie derartig hohe Ansprüche ist auch das neben dem verfeinerten, verwöhnten Geschmack wesentlichste Merkmal des Kenners: Er besitzt Entscheidungsfreude. Schon nach wenigen Silben entscheidet er sich klipp und klar, sich den Rest zu ersparen. Solche Leute gehen meist nach den ersten fünf Minuten wieder aus dem Film. Manche sagen: weil sie nicht wissen, daß das, was vor der Schöller-Reklame kommt, gar nicht zum Film gehört.
Toll! Die eigene Neugier bezwungen! Ansage nicht bis zum Schluß angehört. Zeit nicht in der Lotterie gewonnen. Man ist nicht unsterblich. Intensiv und bewußt leben. Das Beste ist gerade gut genug.

Vorschläge für überzeugende Nachrichten

Was bringen witzige Nachrichten?

Man freut sich ja über *jeden* Anruf. Aber ein bißchen enttäuschend finden es die von uns Angerufenen dann doch, wenn wir ihnen bloß das übliche

»Ich wollte mich mal melden«

oder

»Ich rufe nur mal so an. Es gibt nichts Neues«,

aufs Band sprechen – und dann tschüß.
Gerade wenn wir eigentlich kein anderes Anliegen haben als die eigene Plauderlaune, können wir den angerufenen Freunden und Bekannten eine Freude machen, und zwar durch einen pfiffigen Nachrichtenspruch.

Reine Scherze

»(Seriös bis förmlich vorgetragen:) Hallo und guten Tag! Bitte entschuldigen Sie die verstellte Stimme, aber Sie sind ganz richtig verbunden mit den Entführern Ihres Kindes. Leider sind wir im Augenblick nicht zu sprechen, weil wir die vom Verband der Berufsverbrecher vorgeschriebene maximale Anzahl der Überstunden nicht überschreiten wollen. Bitte hinterlassen Sie Ihren Namen, Ihre Rufnummer und 1 Million Mark in kleinen Scheinen. Oder melden Sie sich noch mal zu unseren üblichen Sprechzeiten, täglich von 23–3 Uhr, und am langen Samstag von 12–12.35 Uhr. Vielen Dank und auf Wiederhören.«

»Ruf bitte zurück und sag, wann und woran du gestorben bist.«

Immer wieder hört man Scherze, die sich mit Stevie Wonder's bekanntem Telefonlied beschäftigen:

»I just called to say I love you – und jetzt sing ich es trotzdem.«

An der folgenden Nachricht gefällt mir vieles: Sie ist kurz, sie wirkt nicht aufgeblasen, sie nutzt sich nicht ab und sie trifft den Kern der meisten gescheiterten Anrufversuche:

»Ich hatte mal wieder Lust zu reden. Und du hattest mal wieder Glück.«

Haben Sie erwachsene Kinder? Dann werden Sie es ungezählte Male gereut haben. Besonders, wenn Ihr Nachwuchs beim fünften Versuch schon wieder nicht zu Hause ist:

»Du bist enterbt, weil ich dich nie erwische. Ruf zurück, wenn du dir deinen Pflichtteil sichern willst.«

Nun zwei besonders alberne Nachrichten:

»Guten Tag, hier spricht Ihre Samenbank. Sie haben ihr Konto überzogen und ein Scheck ist geplatzt.«

Recht inspirierend scheinen viele Anrufbeantworter-Besitzer die ZDF-Sendung »Wetten, daß . . . ?« zu finden. In ihren Nachrichten wechselt nur der (meist sehr pikante!) Inhalt der Wette. Ein Beispiel für viele:

»Gratulation! Ihre Wette ist angenommen. Bitte kommen Sie übermorgen zur Generalprobe nach Mainz und führen Sie uns vor, ob Sie tatsächlich aus zwanzig anderen das Höschen Ihrer Freundin herausriechen können – und zwar allein am Geruch!«

Tja, manche Supernasen riechen eben die Vorlieben von Ulrike, Petra und Elke heraus, obwohl sich Dash, Omo und Haka Neutralseife doch kaum unterscheiden.

»Sie können nach der Nachricht ein Signal hinterlassen. Oder zwei.«

»Es gibt nichts zu sagen – sprechen wir es aus.«

Dankbarkeit

»Ich wollte mich ganz herzlich für deinen Anruf bedanken und dir vorschlagen, daß du mich zurückrufst und dich für meinen Rückruf bedankst.«

Boshaftes und Beleidigungen

Man ärgert sich immer etwas, wenn man niemanden erreicht hat. Da liegt es nahe, durch eine boshafte Nachricht Dampf abzulassen. Hier nun ein paar Ideen, nach denen man so richtig befriedigt auflegen kann.

»Hallo, und ganz herzlichen Glückwunsch! Das berühmte französische Modehaus Chanel ist auf der Suche nach dem Idealtyp

Mann auf Sie gestoßen und möchte Ihnen einen Zweijahresvertrag anbieten – als abschreckendes Beispiel.«

»Na gut, lieber NAME DES ANGERUFENEN. Wir wußten doch, wo du dich versteckt hast. Und jetzt wir wissen auch, für wen du dich diesmal hältst. Bleib, wo du bist, wir holen dich ab. Wenn du dich wieder wehrst, sind wir aber nicht so sanft wie beim letzten Mal.«

»Dr. Bechmeier vom Klinikum West, Chirurgische Abteilung. Ich habe eine gute Neuigkeit für Sie: Sie können sich umgehend auf den Weg zu uns machen. Endlich ist es uns gelungen, ein Spenderhirn zu beschaffen – als ein Schimpanse beim Turnen tödlich verunglückte.«

»Ein Glück, der Anrufbeantworter. Der ist wenigstens nicht beleidigt, wenn man nach zehn Sekunden auflegt, weil einem deine Stimme einfach auf die Nerven geht.«

»Hi, hier ist Uschi. Es gibt nichts besonderes zu berichten. Heute bin ich mal wie du sonst: langweilig.«

»Ich habe nur angerufen, damit du nicht wie sonst immer nach Hause kommst und merken mußt, daß sich eigentlich niemand mit dir unterhalten wollte.«

Oder ähnlich:

»Macht nichts. Ich habe sowieso nur aus Mitleid angerufen.«

»Tut mir leid, ich habe mich verwählt. Eigentlich wollte ich jemanden anrufen, der mir was bedeutet.«

»Verzeih mir, daß ich jetzt nicht viel aufs Band spreche. Aber ich will nicht schon wieder wegen Beleidigung vors Gericht.«

»Du hast bestimmt überall Pickel. Woher ich das weiß? Fällt doch auf, daß du dich nicht ausdrücken kannst.«

»Tolle Ansage! Man merkt gleich, daß du einer von denen bist, die bei ihrer Geburt schon alle drei Grundrechenarten beherrscht haben.«

»Den ganzen Tag versuche ich schon, deinen Anrufbeantworter zu erreichen. Damit ich bloß nicht persönlich mit dir reden muß.«

»Es heißt ja immer, niemand sei vollkommen. Seit ich diese Ansage kenne, weiß ich, du bist vollkommen. Vollkommen langweilig.«

»Wundere dich nicht über meinen Anruf. Es geht mir nur um deine Persönlichkeit. An deinem Körper ist wirklich nichts Aufregendes.«

»Das ist ja eine wirklich schöne Stimme. Aber man sagt ja immer: Die Dicken haben die schönsten Stimmen.«

Angebliche Prominente

Gern geben sich Anrufer als Prominente aus, die absichtlich oder unabsichtlich angerufen haben:

»Hallo, hier spricht Karl Dall. Immer, wenn es mir schlechtgeht, werde ich von jetzt an diese Nummer anrufen. Es ist beruhigend zu wissen, daß es Menschen gibt, die noch blöder sind als man selbst.«

Ganz ähnlich äußert sich folgender Berufsteenager:

»Hier ist Udo Lindenberg. Ich muß gerade ein neues Stück schreiben. Mir fällt absolut nichts ein, und damit ich nicht die vollständige Krise bekomme, wollte ich jemanden anrufen, dem es genauso geht wie mir.«

Nicht sonderlich Prominente

»Hier ist der Vorsitzende des Verbandes der intelligenten Menschen. Entschuldigung, ich habe mich offensichtlich verwählt.«

»Hier ist die Volkshochschule. Ihre Freundin hat uns gebeten, uns mit Ihnen in Verbindung zu setzen wegen unseres Kurses: ›Langweilig im Bett – Schicksal oder heilbare Krankheit?‹«

»Lieber Anrufbeantworter! Ich beneide dich, sehr sogar. Wie schön muß es sein, jeden Tag mehrmals von NAME berührt zu werden. Außerdem hört er dir bestimmt zu. Das würde er bei einem Menschen niemals fertigkriegen.«

Deine Ansage ist doof!

»(Schnarchklänge)«

»Ruf mich bitte nicht zurück, wenn du so langweilig bist wie deine Ansage.«

»Super Ansage! Ich bewundere Menschen, die sich kreativ so total verausgaben wie du – und dann bleibt nichts mehr übrig für eine witzige Ansage.«

»Ich habe noch nie eine witzigere Ansage gehört. Und dies ist schon das insgesamt dritte Telefonat, das ich in meinem Leben geführt habe.«

»Mensch Paul, diese Ansage hätte man echt nicht verbessern können – aber wegschmeißen.«

»Da hast du dich ja wirklich bemüht – und genauso klingt es auch.«

»Als ich deine Ansage gehört habe, habe ich mir gewünscht: Hätte ich dich nur nie kennengelernt.«

»Hör unbedingt die Ansage deines Anrufbeantworters ab! Irgend jemand hat sich einen schlechten Scherz erlaubt und einen absolut peinlichen Schwachsinn draufgesprochen. Mit deiner Stimme!«

»(Begeisterter Tonfall:) Mensch, Paul, so kenne ich dich ja gar nicht! (Trocken:) Und möchte dich auch gar nicht kennenlernen.«

Noch mehr Beschwerden

»Du kannst zwischen zwei guten Ratschlägen auswählen: Entweder gibst du nie wieder jemandem deine Telefonnummer. Oder du läßt dir von irgendwem eine Ansage draufsprechen, der wenigstens Hauptschulabschluß hat.«

»Ich kann mir nicht vorstellen, daß du dein Versprechen einhältst und mich zurückrufst. Jemand mit so einer Ansage wie deiner kann eine mehr als dreistellige Nummer nicht fehlerfrei wählen.«

»Du mußt ja irre umschwärmt sein, wenn du es dir leisten kannst, eine so langweilige Ansage aufs Band zu bringen. Naja, ich bin einsam und darf nicht wählerisch sein. Daher lege ich nicht gleich auf.«

»Eigentlich sollte man nach so einer Ansage auflegen, aber ich gebe dir eine falsche Nummer an, so daß du zur Strafe stundenlang versuchen mußt, mich zu erreichen.«

Und wiedermal wird Stevie Wonder bemüht:

»I just called to say: I love you – muß aber nach dieser Ansage leider einen Rückzieher machen.«

»Ich verstehe genau, was du mit deiner Ansage erreichen möchtest: Du willst herausfinden, wer von deinen Bekannten noch zu dir hält, obwohl du einen so unsäglichen Müll auf deinem Anrufbeantworter absonderst. Also ich jedenfalls lasse mich durch nichts erschüttern. Außer durch einen Rückruf natürlich.«

»Ruf mich doch einfach zurück – nachdem du erwachsen geworden bist.«

»Vielen Dank für den Hinweis, daß ›dies nur der Anrufbeantworter‹ ist. Ich habe mich schon gewundert, seit wann jemand mit deiner Stimme in vollständigen Sätzen spricht.«

»Du kannst dir gar nicht vorstellen, was ich eben erst erlebt habe: Ich rufe also eine Nummer an, und da ist dieser unsäglich blöde und peinlich besprochene Anrufbeantworter dran. Du hättest dich schlappgelacht. Also: Hier ist die Nummer. Aber ehrlich, die Ansage ist sagenhaft blöd. (Und dann folgt die Nummer des Angerufenen.).«

»Schon wieder eine neue Ansage! Immerhin gibst du dir Mühe. Da kann man am leichtesten verzeihen, wenn dann doch nichts draus wird.«

»Wenn du die Ansage innerhalb der nächsten vier Monate änderst, weiß ich wenigstens, daß du noch lebst.«

Sex und Eifersucht

Die meisten Anrufbeantworter-Besitzer leben mit ihren Partnern zusammen. Ich darf Ihnen hier ein paar Nachrichten aus dem Kontinent unter den Gürtellinien vorstellen, die regelmäßig zu unterhaltsamen Mißverständnissen führen. Meist ist es erforderlich, daß der Anrufer oder die Anruferin den Opfern unseres Scherzes nicht bekannt ist. Also los geht sie, die Suche nach den verrauchten VerführerInnen-Stimmen . . .
Die gewaltigste Wirkung entfalten die folgenden Streiche, wenn der Zeitpunkt genau richtig gewählt ist – also der Partner unseres Opfers allein nach Hause kommt und den Anrufbeantworter abhört.

Zuerst ein paar schöne Ideen zum Thema Seitensprung:

»Hallo! Ich wollte nur kurz anrufen und mich ganz herzlich bedanken. Ich kriege jetzt noch Gänsehaut, wenn ich an diesen Quickie im Treppenhaus denke. Dabei dachte ich schon vor zwei Wochen, zwischen uns sei keine Steigerung mehr möglich.«

Als nächstes eine Anrufstaffette – drei Nachrichten, die in drei aufeinanderfolgenden Wochen hinterlassen werden:

»(Frauenstimme:) Ich denke gerade an dich und habe noch immer totalen Muskelkater.«

Die Woche drauf heißt es dann:

»Ich habe am ganzen Körper blaue Flecken.«

In der dritten Woche teilt die Anruferin mit:

»Ich habe mir gerade ein paar total geile Handschuhe gekauft, damit ich dir nicht wieder Kratzer mache.«

Spätestens jetzt untersucht die eifersüchtige Partnerin ihren Mann auf Spuren seiner vermeintlichen . . .

Schrecklich auch, wenn die Tarnung auffliegt:

»Hier ist der Fleurop-Blumendienst. Leider konnten wir die 100 roten Rosen nicht wie gewünscht an Frau Elisabeth Wirchenberg ausliefern. Bitte holen Sie sich bei uns einen entsprechenden Gutschein ab.«

Viele Fragen werfen sich auf, wenn die folgende Nachricht vom Band kommt:

»Ich hab's echt nicht geschafft, dich um acht Uhr anzurufen. Du weißt ja, wo du mich erreichen kannst.«

Natürlich verzichten wir darauf, Namen zu nennen. Der eifersüchtige Partner des Angerufenen bekommt nun zu hören, daß sein Schatzi sich die Nachricht nicht erklären kann, und überhaupt: »Du weißt doch, daß ich nur dich liebe.« Seine Erklärung: »Da muß sich jemand verwählt haben.« Das aber so rein gar nichts an der Sache dran sein soll, wird immer unwahrscheinlicher, je häufiger die unbekannte Stimme Nachrichten auf dem Band hinterläßt. Und am Ende nennt sie sogar – ganz eindeutig – den Namen der angerufenen heimlichen Liebschaft. Folge: Scheidung. Endlich wird Lena frei, die sowieso viel zu gut war für Werner, die treuen Idioten.

»(Röchel, röchel, stöhn, stöhn) Ich muß gerade an dich denken. Ich stelle mir vor, wie du langsam und erst ganz zärtlich . . .«

. . . und dann folgen genaue Beobachtungen zum eigenen Fühlen.

»Hi! Neulich warst du ja ein bißchen zu voll, um so richtig zur Tat zu schreiten. Aber du hast mir deine Nummer gegeben, damit wir das mal nachholen. Ich versuch's später noch mal.«

Eine Telefonnummer wird nicht hinterlassen, und der eifersüchtige Partner wird nun tagelang neben dem Telefon warten . . .

Kleine Einblicke in die Heimlichkeiten des untreuen Lebenspartners gefällig?

»Ich habe gerade meinen Anrufbeantworter abgehört und bin ein bißchen verwirrt, um nicht zu sagen sauer. Wenn du unbedingt etwas haben willst, was nach mir riecht, wieso hast du dann mein Päckchen nicht von der Post abgeholt?«

»Ich sehe mir gerade die Polaroids an, die wir vorgestern gemacht haben, und werde schon wieder rattenscharf.«

Jetzt zwei Gemeinheiten, die Sie mit Ihrer eigenen Stimme im Bekanntenkreis anwenden können.

Von Frau zu Frau:

»Wer ist eigentlich die Blondine, mit der Gerd gerade bei Karstadt in der Wäscheabteilung unterwegs war?«

Von Mann zu Mann:

»Du sollst unbedingt Gerda anrufen. Wenn sie dich fragt, warum du anrufst, sagst du ihr, vor dir brauche sie sich nicht zu verstellen.«

Aus der Welt des kommerziellen Sex

Wieder vor allem für die Ohren der Partnerin:

»Hier ist Tamaras Thai Massage-Salon. Sie haben beim letzten Mal ein paar Akten bei uns liegenlassen.«

Für die Ohren des Ehemannes:

»Hier ist die ZFB-Agentur: Sie haben vergessen, in den Fragebogen einzutragen, ob Sie auch Hotelbesuche gemeinsam mit einer weiteren Dame machen würden. Bitte rufen Sie uns zurück.«

Weniger laut wird der Ehekrach, wenn die Partnerin folgende an den Liebsten gerichtete Nachricht hört:

»Hier ist Video World, die Videothek Ihres Vertrauens. Wir möchten Sie darauf hinweisen, daß Sie übersehen haben, uns zwei Kassetten zurückzubringen, die Sie vor zwei Wochen entliehen haben:

»Blutjunge Sklavenmädchen in Gummi«, »Perverse Gay-Boys« und »Wenn der Hausmeister meine goldene Dusche repariert«.

»GPM-Versand, Flensburg. Leider sind die von Ihnen bestellten Gummipuppen nicht mehr in unserem Programm.«

Schock für Singles sowie für die Partner von Vergebenen

»(Unbekannte Frauenstimme) Hallo Günther. Ich bin ganz aufgelöst. Gerade war ich beim Arzt, und ich halte es für meine Pflicht, dir reinen Wein einzuschenken. Wie es aussieht, habe ich einen Tripper. Hoffentlich hast du dich nicht angesteckt.«

Natürlich können wir auch andere Geschlechtskrankheiten nehmen.

»Hallo Klaus. Der Arzt sagt, es wird ein Junge.«

Harmlose erotische Witzchen

»(Hechel, hechel) Ich liebe es, Anrufbeantworter so richtig in Gang zu setzen – und dann aufzulegen.«

»Ich habe schlechte Erfahrungen mit Telefonsex gemacht. Irgendwer hat die Bullen gerufen, und die haben meine Freundin und mich aus der Telefonzelle gezerrt.«

»Hi! Ich habe gerade deine Telefonnummer auf dem Männerklo am Kleistpark gelesen. Ich stehe auch auf Leder und Gummi, aber was meinst du mit NS und TV? Ich kann dir meine Nummer nicht hinterlassen, aber ich versuche es später noch mal.«

Besonders gut kommt diese Nachricht an, wenn im Laufe von einigen Tagen etliche Männer anrufen und im Prinzip dasselbe erzählen. Irgendwann wird sich Ihr Opfer auf den Weg in besagtes Klo machen, um seine Nummer dort an der Wand zu suchen und durchzustreichen.

Ein Freund von mir hat sich diesen Gag ausgedacht, aber alles kam raus, weil unser Opfer nach der dritten oder vierten derartigen Nachricht nicht mehr direkt ans Telefon ging, sondern warten wollte, bis er einen der angeblich an ihm interessierten Männer persönlich erwischen konnte.

Er hatte schon am nächsten Tag Glück. Ein Anrufer ließ gerade seine Nachricht vom Stapel, da nahm das Opfer den Hörer ab. Der Anrufer, ziemlich verdutzt, legte sofort auf. Am selben Tag passierte dem Opfer genau dasselbe mit einem weiteren, anderen, Anrufer. Dann änderte das Opfer seine Ansage:

»Ich habe den Witz mit der Telefonnummer auf dem Herrenklo durchschaut. Denkt euch was Neues aus oder lernt, intelligenter zu lügen, wenn ich an den Apparat gehe. Ansonsten: Nachrichten nach dem Signal hinterlassen.«

Irreführung

»Bei der Überprüfung Ihres am Straßenrand geparkten Fahrzeuges bemerkten wir erhebliche Mängel und fordern Sie auf, sich mit dem Wagen innerhalb von fünf Werktagen beim TÜV vorzustellen.«

»Hier ist Herbert Behnke, Gerichtsvollzieher beim Amtsgericht. Ich werde am kommenden Donnerstag in der Zeit von 8 bis 13 Uhr bei Ihnen erscheinen, um den Beitreibungsbeschluß des Amtsgerichtes unter Aktenzeichen VBmr Hs 139/44 – 4c Olg zu vollstrecken.«

Natürlich können Sie auch die folgende Geschichte erzählen:

»Aufgrund eines dummen Zufalls, der zu einem noch dümmeren Irrtum führte, hat eine libanesische Rauschgifthändlerorganisation ein Kopfgeld von 35.000 Mark auf Sie ausgesetzt. Alles ist nur eine Verwechslung, aber sie hat einem unserer verdeckten Ermittler das Leben gerettet. Ihr Leben liegt uns auch am Herzen, daher bitten wir Sie, sich DANN UND DANN in der chirurgischen Abteilung des Krankenhauses zu melden, wo man Ihnen zu einem neuen Gesicht verhelfen wird.«

Folgende Idee fand ich so schön, daß ich sie an mehreren Leuten ausprobiert habe. Mit besten Erfolgen:

»Hier ist Dr. Berger. Was ich Ihnen jetzt sage, wird Sie etwas schockieren. Setzen Sie sich erstmal hin. (PAUSE) So. Sie sind nicht der, der Sie glauben zu sein. Das alles ist Einbildung. Sie haben sich vorgestern bei uns als Freiwilliger zu einem Pharmaversuch gemeldet, aber das Präparat hat bei Ihnen völlig unerwartet funktioniert. Sie liegen in diesem Augenblick im Koma bei uns in einem Krankenbett. Ihre Erinnerungen sind eingebildet, Sie heißen in Wirklichkeit Klaus Huber und sind fünf Jahre jünger. Es gibt nur eine Möglichkeit für Sie, aus diesem Alptraum zu erwachen: Betrinken Sie sich bis zur Bewußtlosigkeit und rufen Sie dann folgende Telefonnummer an.«

Das folgende Beispiel für offiziell klingende Verlautbarungen kann beliebig variiert werden. Es geht immer darum, Verwirrung oder Panik zu stiften und die Opfer zu seltsamen Handlungen anzuleiten oder irgendwo hinzuschicken.

»Hier ist das Referat für Umweltschutz. In Ihrem Bezirk sind Giftstoffe in die Wasserversorgung eingeleitet worden. Um eine Panik zu vermeiden, melden wir den Vorfall nicht an die Medien. Vermeiden Sie jeden Kontakt mit dem Wasser aus Ihrer Leitung. Waschen Sie sich nicht damit, und vor allem: Trinken Sie es nicht.«

»Bitte finden Sie sich DANN UND DANN in folgender Kaserne zu einer Übung ein: . . .«

Panikmache

»Ich bin gerade die Königstraße hochgefahren, da stand dein Auto am Straßenrand. Völlig zerbeult. Ich hatte leider keine Zeit, mir die Sache genauer anzusehen. Ich hoffe, es geht dir aber gut.«

»Hallo! Wir wollten euch nur sagen, daß da ein paar Figuren in euer Haus geschlichen sind. Seid lieber vorsichtig, für den Fall, daß noch einer der Einbrecher da sein sollte.«

»Hallo Harry! Du kannst dir schon mal überlegen, wie du aus dem Schlamassel wieder herauskommst. Ich weiß nämlich – alles.«

Eine Freundin von mir hat eine schöne Aufnahme mit einem Tonband gemacht. Einen ganzen Nachmittag hat sie dazu verwendet, um zu sagen:

»Ja, hallo, hier ist die Anna, und ich möchte, daß du ganz, ganz schnell . . . (und jetzt folgten dumpfe Schläge, Scherbenklirren, Schreie, erstickte Schreie, Würgegeräusche.)«

Die folgende Nachricht braucht ein optimales Timing: Wenn das Opfer seinen Anrufbeantworter abhört, sollte es sein geliebtes Auto das letzte Mal vor drei oder mehr Stunden gesehen haben.

»Hier ist Rickis Abschleppservice. Wir haben auftragsgemäß Ihren PKW abgeschleppt und wie vereinbart dafür gesorgt, daß der Wagen nicht ausgeschlachtet wird, sondern tatsächlich in die Presse kommt. Sie hatten recht mit Ihrer Vermutung: Die Jungs auf dem Schrottplatz hatten noch niemals zuvor einen so ungewöhnlichen Job zu erledigen. Sie können sich die Abmeldebescheinigung bei uns abholen. Bitte rufen Sie vorher zur Bestätigung an unter 234 51 61.«

Die Kiste scheint kaputt zu sein

Schöne Effekte erzielt der Anrufer, der seinem Opfer erfolgreich einreden kann, sein heißgeliebter Anrufbeantworter sei defekt. Die folgenden Nachricht –

»Hallo ich bin's, der Klaus. Dein Anrufbeantworter scheint nicht richtig zu funktionieren. Sonst gibt's eigentlich nichts Neues. Tschüß«,

– wollen wir nun in verschiedener Art zerstückelt vorstellen:

»Hallo dein Anruf bin's, der Klaus. Tschüß. Beantworter Klaus nicht richtig zu scheint funktionieren. Nichts sonst Neues gibt's, neu, Neues eigentlich nichts Neues.«

Etwas höhere Ansprüche an die sprecherischen Künste des Anrufers stellt die Echo-Methode:

»**Hallo** hallo, (PAUSE) **ich** ich **bin's** bin's, **der** der **Klaus** Klaus. **Da** da **ist** ist **so** so **ein** ein **Echo** Echo **in** in **der** der **Lei-** Lei- **-tung** -ung . . .«

Noch eine große Herausforderung an die Sprachmacht und Vortragskunst verkannter Burgschauspieler:

»Hal-- i-- bin's, der --aus. Dein ---ufbeant-ort---scheint ni--- -ichtig z- funk----ieren. Sonst ---t's ei----lich nichts -eues. Tsch--«

Die folgende Idee funktioniert nur, wenn hintereinander verschiedene Anrufer im Prinzip dasselbe sagen:

»Dein Anrufbeantworter ist viel zu leise. Man versteht kaum, was du sagst.«

Auf diesen Trick hin nimmt jeder ab, der nicht in den letzten paar Minuten unendlich herumtelefoniert hat.

»Dein Telefon war drei Stunden lang ständig besetzt. Irgendwas ist mit deiner Leitung nicht in Ordnung. Oder bist du doch zu Hause?«

Unverständliche Stellen

Immer, wenn es besonders wichtig wird, sorgen Störungen in der Leitung oder am Telefon dafür, daß die Nachricht unvollständig ist.

»(Noch lachend:) Also gerade habe ich einen Witz gehört, du lachst dich schief! (Lachen) Jetzt hör zu: Kennst du den Unterschied zwischen einer Frau, die gut im Bett ist, und einem Karton

Persil? Die Frau (nuschel nuschel nuschel) . . . bis sie kommt, während der Karton Persil (nuschel nuschel) zu bekommen. (Und dann wieder Lachen bis zum Umfallen).«

». . . 45 03. Unter dieser Nummer erfahren Sie, wo Sie die 5.000 Mark Gewinn abholen können. Beeilen Sie sich, denn schon morgen geht das Spiel um den Jackpot weiter!«

Versäumte Gelegenheiten

Wir alle haben uns den Anrufbeantworter gekauft, weil wir nichts mehr versäumen wollten. Nun gibt es aber Gelegenheiten im Leben, die man beim Schopfe packen müßte – oder sie verfallen. Von diesen versäumten Chancen erfährt man durch folgende, unglücklicherweise getürkten, Nachrichten:

»(Wildes Gestöhne) Hi! Wir haben hier eine ziemlich aufregende Party mit reichlich Sex. Eine echte Orgie. Würde dir bestimmt Spaß machen. Ich wollte dich gerade einladen, aber leider scheinst du nicht da zu sein . . .«

»Wir sind gerade auf einer total irren Party (im Hintergrund Partygeräusche von einer speziell für diesen Zweck aufgenommenen Kassette). Komm unbedingt nach. Hier ist die Adresse (geht unter im Lärm). Ich rufe dich noch mal an, um zu fragen, ob du kommst.«

»Hallo, hier ist Hilda. Ein guter Freund von dir hat mir gesagt, du würdest dich ganz süß und diskret um mich kümmern, wenn ich dir sage, daß ich (kurze verschämte Pause) ein bißchen – ausgehungert bin. (Pause.) Naja, vielleicht hat er nur übertrieben. Sei so lieb und ruf mich an unter 354 3-(krächz, krächz – und damit leider unverständlich). Tschüß.«

»Ich habe gerade eine Einladung zu einem erstklassigen Essen bekommen und suche schnell noch jemanden, der mich begleitet. Schade, daß du nicht da bist.«

Noch schlimmer wird der Fall, wenn vom Angerufenen immer schon verehrte Traumfrauen oder -Männer ebenfalls anwesend sein werden.

Warten auf den ganz, ganz wichtigen Anruf

Schrecklich, wenn man den Anrufbeantworter abhört und erfährt, daß man gerade *die* Supergelegenheit des Jahrhunderts verpaßt hat, weil man gerade nicht zu Hause war. Das ärgert einen sehr.
Noch schlimmer wird es aber, wenn der Anrufer auch noch verspricht:

»Ich rufe dich in einer Stunde noch einmal an.«

Die meisten Anrufbeantworter zeichnen die Zeit des Anrufes nicht automatisch auf. Wenn man also nach Hause kommt und die Nachrichten abhört, kann man nicht sicher sagen, vor wie vielen Minuten der Anruf eingegangen war. Man wird also eine Stunde bang auf einen Anruf warten und sich dann Sorgen machen, was dem Anrufer, der aufs Band gesprochen hatte, in der Zwischenzeit passiert ist.
Auch gemein:

»Ich soll dir sagen, daß du heute im Laufe des Nachmittags einen geschäftlich total wichtigen Anruf von irgendeiner ›Zentrale‹ oder so bekommst. Du mußt unter allen Umständen zu Hause sein und darfst auf keinen Fall das Telefon blockieren. Es geht um viel Geld.«

Die Kunst des Rückrufes

Da ist sie nun auf unserem geliebten Band: die Aufforderung zurückzurufen. Und damit stellt sich uns die Frage: Wann machen wir das?
Auf keinen Fall zu früh, das steht fest. Es sieht doch immer stark nach hündischer Ergebenheit aus, wenn man auf Kommando durch jeden brennenden Reifen springt.

Der Rückruf des coolen Wichtigtuers

Unvorstellbar lange nach der letzten (und das war die mindestens achte!) Nachricht unseres Opfers rufen wir an, als wäre nichts gewesen. Wir halten uns nicht mit langer Vorrede oder gar entschuldigenden Erklärungen auf, nehmen aber ganz eindeutig Bezug auf die Nachrichten auf unserem Band:

> »Was kann ich für dich tun?«,

fragen wir, wenn die Person höchst selbst ans Telefon geht.
Wenn wir nur den Anrufbeantworter erreichen, um so besser. Dann sagen wir – nicht ohne vorwurfsvollen Unterton in der Stimme –:

> »Du warst nicht zu Hause heute, am Mittwoch, um 14 Uhr.«

Auf keinen Fall lassen wir uns hinreißen zu sagen:

> »Ich versuche es später noch mal.«

Wir bitten auch nicht um Rückruf. Schließlich wollen wir hier nicht verwischen, wer ursprünglich unbedingt wen sprechen wollte. Außerdem hätte der Angerufene ja auch zu Hause bleiben können, bis wir uns melden.

Der entschuldigende Rückruf

Niemand glaubt:

> »Ich wollte dich die ganze Zeit über anrufen, aber ich hatte absolut keine Zeit.«

Der freche Rückruf

Prädikat besonders wertvoll:

> »Ich hoffe, der Grund deines Anrufs hat sich inzwischen erledigt.«

Unsere Anrufer

Ist Ihnen schon aufgefallen, daß Ihre Anrufer ähnliche Macken haben und sich gern wiederholen? Wenn man sich genauer mit den Nachrichtenstilen seiner Mitmenschen befaßt, fallen einem folgende Anruferkategorien besonders ins Auge bzw. Ohr bzw. auf die Nerven:

Der dankbare Anrufer

Nach einiger Vorrede kommt:

> »Ja, das war's auch schon. Bis demnächst, wir telefonieren, und vielen Dank.«

Für diesen O-Ton kenne ich meinen Freund Andreas und frage mich schon immer: Wofür bedankt er sich eigentlich?
Für die Erfindung des Anrufbeantworters? Oder dafür, daß man ihn hat ausreden lassen? Kann es sein, daß er sonst nur auf Anrufbeantworter spricht, die sich abschalten, sobald sie seine Stimme erkennen?
Er selbst kann sich seine Neigung zur Danke-sagung auch nicht erklären.
Eine Diplom-Hobbypsychologin übersetzte mir sein »Vielen Dank« in folgenden Klartext:
»Danke, daß ich dich anrufen darf.«
Bitte, gern geschehen. Keine Ursache. Doch, sagte die Psychologin, und die nächsten zwei Stunden am Telefon mußte ich rund 200mal »ach ja«, »interessant«, »so kann man es sehen« zu ihr sagen – und ihr dafür danken.

Der Bezugnehmer

Wenn er was auf unserem Band hinterläßt, bezieht er sich direkt auf den Text unserer Ansage.
Was dabei herauskommt, berichtete mir neulich meine Freundin Sabine. Ihre aktuelle Ansage, vor dem Hintergrund einer intelligenten Randy Crawford-Schnulze, lautete folgendermaßen:

> »Hier spricht Sabine. Und weil sich alle immer über meine unpersönliche Ansage beschwert haben, hier nun etwas romantische Musik im Hintergrund.« etc.

Natürlich hielten sich diverse Bezugnehmer nun für besonders originell, indem sie sagten:

> »Das soll romantisch sein?«

Oder:

»Jetzt hast du also eine unpersönliche Ansage mit romantischer Musik.«

Oder:

»Ich fand deine Ansage sowieso nie unpersönlich, und außerdem geht es mir nicht um irgendwelche Persönlichkeiten, sondern nur um das Eine – deinen Rückruf. Aber auch nur, weil ich so bescheiden bin.«

Den fand Sabine originell.

Der Chefkommentator

Auf brandaktuelle Ansagen wie

»Ich bin gerade im Café M und melde mich dann bei Klaus, wo du erfahren kannst, was ich heute abend unternehmen werde«

bekommt man garantiert irgendwelche »witzigen« Antworten. Es sei denn, man habe einen verschnarchten Bekanntenkreis. Dessen intelligentere Mitglieder könnte man aufwecken, wenn man an die mysteriöse Ansage ergänzend anhängt:

»Auch wer dies eben nicht verstanden hat, kann jetzt einen witzigen Kommentar dazu abgeben.«

Um die Motivation der Laberer zu steigern, setzen wir noch einen drauf:

»Sach- und Geldpreise sind nicht ausgeschlossen.«

Spätestens jetzt wollen auch die fadestens Typen nach dem Piep Kostproben ihres Esprit abgeben. Ein letzter Tip: Sagen Sie niemandem, wie schwachsinnig sie seine Humorversuche fanden. Soviel Humor haben auch Waffenfans nicht, vor allem nicht Stimmungskanoniere.

Der verstockte Typ

Immer, wenn er anruft, haben wir die Hoffnung, daß es diesmal um etwas Wichtiges geht.

»Ich kann dir im Augenblick nicht sagen, worum es sich handelt. Sowas kann man am Telefon nicht besprechen.«

Toll! Endlich hat einer im Bekanntenkreis mal ein Kapitalverbrechen begangen, ein Kilo Geldscheine in einer Telefonzelle gefunden, wird verfolgt oder sonstwas Aufregendes. Man kann am Telefon nicht darüber sprechen! Wenn das kein Versprechen ist! – Es ist tatsächlich keins.

Der verstockte Typ war nur nicht imstande, die Nachricht zu hinterlassen:

»Die Batterie meiner Fernbedienung ist leer. Kannst du mir den ›Schulmädchenreport Teil IV‹ heute abend in RTL aufnehmen?«

Der Nörglertyp

Ewig lang lamentiert er darüber, daß ihm unsere Ansage zu lang und zu langweilig war. Kaum installiert man – fast schon ausschließlich, um den Nörgler ruhigzustellen – eine fortschrittliche, aber auch anspruchsvolle Ansage, beschwert sich der Nörgler:

> »Man muß dreimal anrufen, bis man kapiert, was los ist.«

Der Aufleger-Typ

> »Eigentlich hasse ich ja Anrufbeantworter und lege normalerweise gleich auf.«

Nur diesmal ließ er Gnade vor Recht ergehen. *Leider* – auch weil wir ihn nun zurückrufen müssen.

Der genaue Typ

In seiner Sprechweise sind die Kassetten besprochen, mit denen man im zivilisierten Ausland die Fremdsprache Deutsch paukt. Silbe um Silbe stanzt er in die verrauschte Stille des aufnehmenden Bandes die wesentlichen Weisheiten, um die es den führenden Denkern des Abendlandes seit Kant und Popper geht: Uhrzeit und Datum, manchmal zur Sicherheit auch das Jahr. Dann nennt er uns seinen vollständigen Namen (einschließlich der Anmerkungen zur Schreibweise).
Immer geht er auf Nummer Sicher. Zweimal wiederholt er seine Telefonnummer – auch wenn er unser Sohn ist. Genauer gesagt: *Leider* unser Sohn ist.
So richtig unterhaltsam wird der genaue Typ spätestens dann, wenn er mehrere Nummern hat, die unter verschiedenen Bedingungen zu verschiedenen Tageszeiten mit verschiedenen Gesprächsstrategien bedient werden müssen:
Ein paar Beispiele:

> »Ich werde von voraussichtlich 11 Uhr an, und das ist nicht 23 Uhr, sondern 11 Uhr, bis wahrscheinlich 14 Uhr unter folgender Nummer zu erreichen sein: 234 234 2. Dort bitte nach Dr. Bressler fragen, denn er ist der einzige, der mich im Hause finden kann. Man kann mich dort aus verschiedenen Gründen nicht ausrufen lassen.«

Oder:

> »Unter meiner Nummer 887 54 80 bin ich normalerweise zu erreichen, wenn ich zu Hause bin. Sollte ich Gäste haben, gehe ich aber nicht an diese Nummer. Nur für den Notfall nenne ich daher auch noch die Nummer, unter der ich immer zu erreichen bin, wenn ich

zu Hause bin. Ich bitte, diese Nummer nicht weiterzugeben oder außerhalb von Notfallsituationen oder zu Anrufen zu verwenden, die auf der 887 54 80 nicht möglich sind, weil ich auf der Leitung gerade spreche.«

Und dann endlich folgt die Nummer.

Der Serientäter

Nicht nur im engeren Bereich der Tötungsdelikte ist dieser Typ sehr gefürchtet, denn bekanntlich tötet dieser Gewohnheitstöter uns fernmündlich den Nerv, vorausgesetzt, er hat uns nicht gestern schon den letzten geraubt.

Leider erkennt nur der Fachmann die Gefährlichkeit dieses Anrufertyps sofort. Als Laie hält man ihn zuerst sogar für besonders menschenfreundlich, weil er auf dem Anrufbeantworter nicht viele Worte macht, sondern nur eine kurze Nachricht hinterläßt.

Wenn man gerade nach Hause gekommen ist und entdeckt, daß während der einen Stunde, die man kurz mal einkaufen war, immerhin zehn Leute angerufen haben, ist man glücklich. Das Rückspulen dauert lange, die erste Nachricht war kurz. Da sind wir mal gespannt, wer die nächsten neun Anrufer waren, und was es Wichtiges zu hören gibt.

Nachricht zwei:

»Ich bin's noch mal. Habe eben vergessen, dir zu sagen, daß . . .«

Kann mal passieren.

Nachricht drei:

»Eben ist mir noch eingefallen . . .«

Nachricht vier:

»Ich will dir nicht auf den Geist gehen, aber . . .«

Und so fort bis Nachricht neun:

»Ich schwöre, das ist jetzt echt das letzte Mal, daß ich anrufe . . .«

Nun sind wir fürchterlich gespannt auf Nachricht zehn.

Nachricht zehn: Knuspern, Knabbern, Knacken. Ostzonale Störgeräusche. Dann Besetztzeichen. Aufgelegt.

Der Serien-Anrufer? Hat er sich, in letzter Sekunde, doch noch eines Besseren besonnen und sich entschieden, seinen Eid nicht zu brechen?

Nein, er hat gar nicht angerufen. Denn wenn er der Anrufer gewesen wäre, hätte er gesagt:

»Das bin ich jetzt aber wirklich das allerletzte Mal . . .«

Der Stotterertyp

Wir unterscheiden:
1. den Sprechstotterer – e-e-er k-k-ka kann-n n-n-ni-nichts d-da-f-f-ür, ka-kann g-g-g-geheilt w-w-werden und fällt sofort auf.
2. den Denkstotterer – völlig ohne Mitleid sehen wir den Denk-Stotterer, der zwar in ganzen Wörtern spricht und nur selten zwischendurch Luft holt, aber das ist auch schon alles:

»Tja, also . . . , laß es mich mal so sagen, . . . äh . . . , ich hatte mir gedacht, – wenn du vielleicht, – aber das geht wohl doch nicht. Obwohl – wer sagt das eigentlich? Wir können ja später dann, – müssen wir mal sehen, wie das zeitlich hinhaut, – weil: gestern wollte ich eigentlich auch schon, aber es gab eine Reihe Gründe, warum ich dann doch nicht ganz so wollte, wie ich wollte – weil ich konnte nicht, trotz . . .«

Der Update-Typ

Der Anrufzähler zeigt »1« an. Das Rückspulen dauert gut drei Minuten. Mit anderen Worten: Marina hat angerufen.

»Ich wollte dich nur kurz auf dem laufenden halten . . .«

– und gänzlich ungebeten sprudelt nun all das aus dem Update-Typ heraus, was er für wichtig hält. Bis zum bitteren Bandende.
Mehrfach täglich hinterläßt dieser Typ seine noch erlebnisfrischen Banalitäten.

Mysteriöse Anrufer

Sich zerschlagende Hoffnungen

Ab und zu findet man Anrufer auf seinem Band, die man nicht erkennt. Vielfach hinterlassen sie Nachrichten, die man als Uneingeweihter nur sehr, sehr mysteriös finden kann. Alles würde man darum geben herauszufinden, wer einem da aufs Band gesprochen und warum er angerufen hat.
Zwei Wochen lang sagen wir alles ab und kampieren neben dem Telefon, weil es am Ende der Nachricht hieß: »Ich versuche es demnächst noch einmal.«
Ein Freund von mir kam einmal nach Hause und hörte eine Frauenstimme, an die er sich nicht mehr erinnerte. Sie aber erinnerte sich – und zwar *sehr* genau – an einen gemeinsam verbrachten Tag, an dem man irgendwas Kulinarisches veranstaltet hatte.
Sie betonte, sie denke noch immer mit größtem Vergnügen an die Nudeln und das Olivenöl – auf ihren Schultern! Irgendwie klang das – er spielte mir die Aufnahme vor – extrem erotisch, und kein Zweifel, das war Absicht ihrerseits. Man konnte leicht heraushören, daß noch viel mehr als Nudeln und Öl passiert war – oder passieren sollte, und das wollte sie jetzt wieder- oder nachholen. Klar war auch, daß zwischen dem Pasta-Tag und heute einige Zeit vergangen sein mußte.
»Verdammt!«, sagte mein Freund, »Ich kann mich nicht genau erinnern.« Die verführerische Frauenstimme kam ihm nicht unbekannt vor. Aber leider auch nicht bekannt.
Er las jeden Eintrag seines Adressbuches durch, auch die durchgestrichenen Namen. Diese Stimme! Dieser Sex-Appeal.
Außerdem hatte mein Freund zu der Zeit keine feste Freundin. Spaghetti sind schnell gekauft, Orgien mit Olivenöl schnell auf den Küchenfußboden gezaubert.
Es folgten Wochen der Hoffnung. Bei jedem Klingeln des Telefons hoffte er, sie sei es. Bei jedem Betreten seiner Wohnung wähnte er den Anrufbeantworter voll von ihr und ihren exotischen Vorschlägen. Ohne Ergebnis.
Wahrscheinlich doch nur eine Frau, die sich verwählt und meinen Freund wegen seiner sehr knappen Dreiwortansage (»Bin nicht da.«) nicht als Fremden erkannt hatte.

Verwechslungen

»Hallo Achim, hier ist die Karin aus Hannover. Ich vermisse dich sehr. Bitte ruf mich zurück.«

Sowas hört man gern, vor allem wenn man, wie ich, Achim heißt und sich an keine Karin erinnern kann. Ich rief sie also zurück.

»Wer ist da?«

»Achim Schwarze.«

»Stimmt nicht.«

»Doch, ehrlich. Du hast auf meinen Anrufbeantworter gesprochen, ich sollte mich melden, und das tue ich jetzt.«

»Mach keinen Mist, gib mir Achim.«

»Ich bin Achim.«

Sie wollte es nicht glauben. Ach so, denke ich, ein Scherz. Doof, aber egal, ich spiele einfach mit.

Als sie dann von irgendeinem imaginären Rudi und irgendeiner Manuela zu reden anfing, wohl um meine Schlagfertigkeit auf die Probe zu stellen, sagte ich:

»Das sieht dem Rudi aber wieder ähnlich. So oft habe ich schon gesagt, er nimmt sich zuviel raus in der Firma.«

»Aber er ist doch erst dreieinhalb.«

»Eben! Und genau deshalb sehen sie es in der Firma nicht so gerne, wie er sich da aufführt. Du weißt, was ich meine. Neulich die Sache mit dem Auto.«

»Du kennst Rudi doch gar nicht.«

So ging es ewig weiter, und Karin war sich nach einer halben Stunde sicher, daß ich irgendwas mit diesem Achim Schwarze zu tun haben müsse, es aber keinesfalls selbst sein könne. Allein schon von der Stimme her nicht.

Am Ende des Telefonats gab ich ihr noch mal zur Sicherheit meine Nummer, und das war's dann.

Bis mich am nächsten Morgen um kurz nach sieben ein ziemlich unfreundlicher Taxifahrer mit Berliner Akzent aus dem Bett klingelte.

»Was fällt dir eigentlich ein, meine Freundin anzumachen?«

Noch ein Scherz?

»Wer sind Sie?«,

fragte ich.

»Achim Schwarze«,

sagte er.

»Und wer bist du?«

»Auch Achim Schwarze.«

Mal sollte sich eben nie für zu einmalig halten.

Es gab einen wesentlichen Unterschied zwischen uns beiden: Karins Freund stand, im Gegensatz zu mir, nicht im Berliner Telefonbuch, weil er in einer

WG wohnte. So kam es zu dieser Verwechslung, als Karin ihn in Berlin erreichen wollte und erst mal die Auskunft anrief . . .

Wenn einen niemand anruft – ein Trick für notorisch Einsame

Nehmen Sie eine Kassette und besprechen Sie sie einfach mit allerlei Nachrichten. Legen Sie diese Kassette in Ihren Anrufbeantworter. Wenn Sie nach Hause kommen, hören Sie immer wieder mal ein paar Nachrichten ab. Besonders überzeugend mit mehrfach verstellter Stimme.